#시험대비
#핵심정복

7일 끝
시험 대비
어법 기초

Chunjae
Makes
Chunjae

▼

편집개발 고명희, 김창숙
제작 황성진, 조규영

발행일 2021년 4월 15일 초판 2021년 4월 15일 1쇄
발행인 ㈜천재교육
주소 서울시 금천구 가산로9길 54
신고번호 제2001-000018호
고객센터 1577-0902
교재 내용문의 (02)3282-8837

7일 끝으로 끝내자!

7 고등 영어 어법

BOOK 1

이 책의 구성과 활용

일별 시험 공부

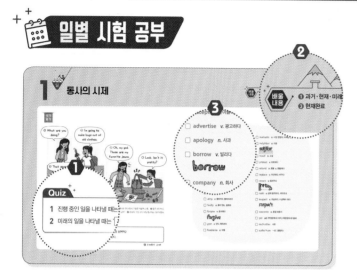

생각 열기 + 단어 미리 보기

만화를 통해 본격적인 공부에 앞서 학습 내용을 가볍게 짚고 넘어 갈 수 있습니다.

❶ Quiz | 간단한 퀴즈를 통해 기본적인 내용을 알고 있는지 확인 하기
❷ 배울 내용 | 오늘 공부할 학습 내용 확인하기
❸ 단어 미리 보기 | 오늘 학습에 필요한 단어 확인하기

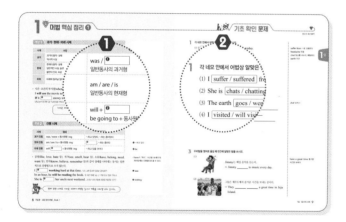

어법 핵심 정리 + 기초 확인 문제

꼭 알아야 어법 핵심 내용을 공부하고, 기초 확인 문제를 통해 개념 을 잘 이해했는지 꼼꼼히 확인할 수 있습니다.

❶ 어법 핵심 정리 | 빈칸 문제를 채우며 핵심 내용 체크하기
❷ 기초 확인 문제 | 어법 핵심 정리 내용에 대한 기초 확인 문제 풀기

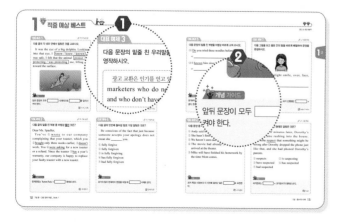

적중 예상 베스트

학교 시험 유형의 대표 예제를 연습하여 학교 시험에 효과적으로 대비할 수 있습니다.

❶ 기출 지문 활용 | 전국연합학력평가의 기출 지문을 활용하여 학교 시험 문제 유형 익히기
❷ 개념 가이드 | 빈칸을 채우며 문제를 푸는 데 도움이 되는 개념 확인하기

시험 공부 마무리 테스트

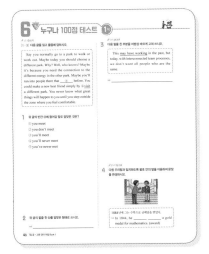

누구나 100점 테스트

아주 쉬운 예상 문제로 100점에 도전하여 시험
에 대한 자신감을 키울 수 있습니다.

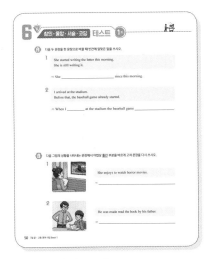

창의·융합·서술·코딩 테스트

쉽고 다양한 서술형 문제를 통해 어렵게 느껴지는
서술형 문제에 대한 자신감을 키울 수 있습니다.

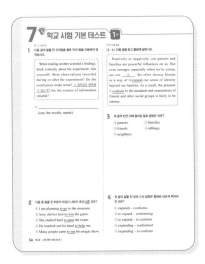

학교 시험 기본 테스트

학교 시험 유형의 예상 문제를 풀어봄으로써
내신에 대한 자신감을 키울 수 있습니다.

시험 직전까지 챙겨야 할 부록

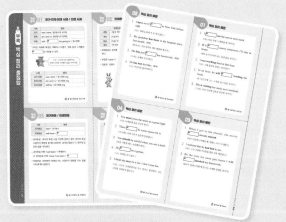

💎 핵심 정리 총집합 카드

가장 중요한 핵심 내용만 모아 카드 형식으로 수록하였습니다.
휴대하여 이동할 때나 시험 직전에 활용할 수 있습니다.

💎 어휘 목록 / 어휘 테스트

7일 동안 학습한 어휘를 정리하고 테스트를 통해 확인할 수 있
도록 했습니다.

이 책의 차례

1일 동사의 시제

생각
열기

❶ What are you doing?

❷ I'm going to make bags out of old clothes.

❸ That sounds great.

❺ Oh, my god. Those are my favorite jeans.

❹ Look. Isn't it pretty?

❶ 뭐 하고 있니? ❷ 나는 헌 옷들로 가방을 만들려고 해. ❸ 좋은 생각이야.
❹ 봐. 예쁘지 않아? ❺ 세상에. 그건 내가 제일 좋아하는 청바지잖아.

Quiz

1 진행 중인 일을 나타낼 때는 '| be동사 / 조동사 | + 동사원형 -ing'로 표현한다.

2 미래의 일을 나타낼 때는 '| may / will | + 동사원형'으로 표현한다.

답 1 be동사 2 will

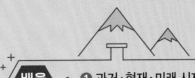
단어 미리 보기

check~

☐ **accept** v. 받아들이다

☐ **advertise** v. 광고하다

☐ **apology** n. 사과

☐ **borrow** v. 빌리다

☐ **company** n. 회사

☐ **complain** v. 불평하다

☐ **conscious** a. 의식하는, 의식이 있는

☐ **dolphin** n. 돌고래

☐ **drop** v. 떨어지다, 떨어뜨리다

☐ **faulty** a. 흠이 있는, 잘못된

☐ **forgive** v. 용서하다

☐ **gain** v. 얻다, 획득하다

☐ **headache** n. 두통

☐ **marketer** n. 시장 경영자, 마케팅 담당자

☐ **neighbor** n. 이웃

☐ **novel** n. 소설

☐ **protect** v. 보호하다

☐ **refund** n. 환불 v. 환불하다

☐ **replace** v. 대신하다, 바꾸다

☐ **return** v. 돌려주다

☐ **rush** v. 급히 움직이다, 서두르다

☐ **suspect** v. 의심하다, 수상쩍어 하다

☐ **warranty** n. 품질 보증서

☐ **yet** ad. (부정문에서) 아직, (의문문에서) 벌써

☐ **each other** 서로

☐ **suffer from** ~로 고통받다

1일 어법 핵심 정리 ❶

개념 1 과거·현재·미래 시제

시제	쓰임	형태	
과거	과거의 동작·상태 역사적 사실	was / ❶ 일반동사의 과거형	❶ were
현재	현재의 동작·상태 일반적인 사실, 습관 불변의 진리, 속담	am / are / is 일반동사의 현재형	
미래	미래에 일어날 일이나 계획	will + ❷ be going to + 동사원형	❷ 동사원형

- 시간·조건의 부사절(when ~, if ~ 등)에서는 ❸   시제로 미래의 일을 나타낸다. ❸ 현재

  I will see the movie next week. 나는 다음 주에 그 영화를 볼 것이다.

  If it ❹   snowy tomorrow, I'll stay at home. ❹ is
  내일 눈이 온다면 나는 집에 있을 것이다.

> 가까운 미래에 확정된 계획이나 비행기, 영화 등의 스케줄은
> 현재 시제로 나타낼 수 있어요.
> Tip

개념 2 진행 시제

시제	형태	의미	
과거 진행	was / were + 동사원형 -ing	~하고 있었다, ~하는 중이었다	
현재 진행	am / are / is + 동사원형 -ing	❺ , ~하는 중이다	❺ ~하고 있다
미래 진행	will ❻ + 동사원형 -ing	~하고 있을 것이다	❻ be

- 감정(like, love, hate 등), 지각(see, smell, hear 등), 소유(have, belong, need, want 등), 인식(know, believe, remember 등)과 같이 상태를 나타내는 동사는 일반적으로 진행형으로 쓰지 않는다.

  - have가 '먹다', '시간을 보내다'의 의미일 때는 진행형으로 쓸 수 있다.

  I ❼   **working** hard at that time. 나는 그때 열심히 일하는 중이었다. ❼ was

  In an hour, he **will be reading** the book. 한 시간 후에 그는 그 책을 읽고 있을 것이다.

  She is ❽   her uncle next weekend. 그녀는 다음 주말에 삼촌을 방문할 것이다. ❽ visiting

> Tip 현재 진행 시제로 가까운 미래에 예정된 일이나 계획을 나타낼 수도 있어요.

기초 확인 문제

1일

1 각 네모 안에서 어법상 알맞은 것을 고르시오.

(1) I suffer / suffered from headache yesterday.

(2) She is chats / chatting on the computer now.

(3) The earth goes / went round the sun.

(4) I visited / will visit my grandmother next Friday.

suffer from ~로 고통받다
headache 두통
chat 담소를 나누다, 채팅하다
earth 지구

2 밑줄 친 부분을 어법상 바르게 고쳐 쓰시오.

(1) In two hours, I will meets her. ➡ _____

(2) If I will meet you again, I will be very happy. ➡ _____

(3) He is sleeping at 8 this morning. ➡ _____

(4) Amy will be a chef when she will grow up. ➡ _____

chef 요리사

3 우리말을 영어로 옮길 때 빈칸에 알맞은 말을 쓰시오.

(1)

Jimmy는 매일 음악을 듣는다.
➡ Jimmy _____ to music every day.

(2)

그들은 제주도에서 즐거운 시간을 보내는 중이다.
➡ They _____ _____ a great time in Jeju Island.

have a great time 즐거운 시간을 보내다

개념 3 현재완료

	의미	예문
경험	~해 본 적이 있다	I **have** never **been** to New York before. 나는 전에 뉴욕에 가 본 적이 전혀 없다.
계속	(지금까지 계속) ~해 왔다	My grandma **has been** in the hospital since last **month.** 할머니는 지난 달부터 계속 병원에 계신다.
❶ ⬚	(지금) 막 ~했다, 이미 ~했다	She **has** just **finished** her homework. 그녀는 숙제를 막 끝냈다.
결과	~해 버렸다	He **has** ❷ ⬚ his bike. 그는 자전거를 잃어버렸다. (현재 찾지 못함) *cf*. He **lost** his bike. (현재 자전거를 찾았는지 못 찾았는지 알 수 없음)

- 현재완료는 'have/has + 과거분사'의 형태로 과거에 시작한 일이 현재까지 영향을 미칠 때 사용한다.
- 부정문은 'have/has not [haven't/hasn't] + ❸ ⬚'의 형태로 쓴다.
- 의문문은 '(의문사 +) ❹ ⬚ + 주어 + 과거분사 ~?'의 형태로 쓴다.

> **Tip** 과거의 특정 시점을 나타내는 부사(yesterday, ~ ago, last ~, when ~ 등)는 현재완료와 함께 쓸 수 없어요.

❶ 완료

❷ lost
- have/has gone to: ~에 가 버렸다 〈결과〉
- have/has been to: ~에 가 본 적이 있다 〈경험〉

❸ 과거분사
❹ Have/Has

개념 4 과거완료, 미래완료

시제	형태	시제	형태
과거완료	had + 과거분사	미래완료	will have + ❺ ⬚

- 과거완료는 과거의 특정 시점 이전에 일어난 일이 과거의 특정 시점까지 영향을 줄 때 사용하며, 과거의 일보다 더 이전에 있었던 일을 나타낸다.

When I got to the theater, the movie ❻ ⬚ already **started**.
내가 극장에 도착했을 때, 영화는 이미 시작했다.

I realized that he **had lied** to me. 나는 그가 나에게 거짓말을 했던 것을 깨달았다.

- 미래완료는 현재부터 미래의 어느 시점까지 영향을 주는 일을 나타낸다.

By the time my mom gets home I **will** ❼ ⬚ **finished** my homework.
엄마가 집에 도착할 때 쯤 나는 숙제를 끝냈을 것이다.

❺ 과거분사

❻ had

❼ have
- 현재완료 진행: have / has been + 현재분사
- 과거완료 진행: had been + 현재분사

1일

4 각 네모 안에서 어법상 알맞은 것을 고르시오.

(1) She has | leave / left | her bag in the subway.

(2) I have | seen never / never seen | him before.

(3) Sumi | has left / had left | before I got there.

(4) Linda has learned Chinese | for / since | last year.

leave 남겨두다, 떠나다

5 밑줄 친 부분을 어법상 바르게 고쳐 쓰시오.

(1) They have practice dancing since 9 a.m. ➡ _____

(2) I have watched a horror movie yesterday. ➡ _____

(3) Jason is the best neighbor that I ever met. ➡ _____

(4) I returned the book that I borrowed from Amy. ➡ _____

practice 연습하다
neighbor 이웃
return 돌려주다
borrow 빌리다

6 우리말을 영어로 옮길 때 빈칸에 알맞은 말을 쓰시오.

(1)

내 남동생은 프랑스에 가 본 적이 있다.

➡ My brother _____ _____ to France.

arrive 도착하다
station (기차)역

(2)

내가 역에 도착했을 때 기차는 이미 떠나 버렸다.

➡ The train _____ already _____ when I arrived at the station.

1일 적중 예상 베스트

대표 예제 1

고1 3월 응용

다음 글의 각 네모 안에서 알맞은 것을 고르시오.

　It was the eye of a big dolphin. Looking into that eye, I │ know / knew / known │ I was safe. I felt that the animal │ protect / is protecting / was protecting │ me, lifting me toward the surface.

개념 가이드

앞뒤 문장이 모두 ☐☐☐☐☐ 시제이므로 ☐☐☐☐☐를 일치시켜야 한다.

답 과거, 시제

대표 예제 2

고1 3월 응용

다음 글의 밑줄 친 부분 중 어법상 틀린 것은?

Dear Ms. Spadler,

　You've ① wrote to our company complaining that your toaster, which you ②bought only three weeks earlier, ③doesn't work. You ④were asking for a new toaster or a refund. Since the toaster ⑤has a year's warranty, our company is happy to replace your faulty toaster with a new toaster.

개념 가이드

현재완료는 'have/has + ☐☐☐☐☐' 형태로 쓴다.

답 과거분사

대표 예제 3

고1 3월 응용

다음 문장의 밑줄 친 우리말을 괄호 안의 말을 이용하여 영작하시오.

> <u>광고 교환은 인기를 얻고 있다</u> especially among marketers who do not have much money and who don't have a large sales team.

(advertising exchanges, gain, in, popularity)

➡ _____

개념 가이드

현재 진행형은 'am/are/is + ☐☐☐☐☐' 형태로 쓴다.

답 동사원형 -ing

대표 예제 4

고1 3월 응용

다음 글의 빈칸에 들어갈 말로 가장 알맞은 것은?

　Be conscious of the fact that just because someone accepts your apology does not mean she _____ you.

① fully forgive
② fully forgiven
③ is fully forgiving
④ has fully forgiven
⑤ had fully forgiven

개념 가이드

과거의 일이 현재까지 영향을 미칠 때 ☐☐☐☐☐ 시제로 쓴다.

답 현재완료

대표 예제 5

다음 문장의 밑줄 친 부분을 어법상 바르게 고쳐 쓰시오.

(1) <u>Do</u> you tried these noodles before?

⇒ _____

(2) I <u>known</u> him since I was very young.

⇒ _____

대표 예제 7 🖊 고1 6월 응용

다음 그림을 보고 괄호 안의 말을 바르게 배열하여 문장을 완성하시오.

(her, was, a, slight smile, over, face, spreading).

⇒ _____

대표 예제 6

다음 문장 중 어법상 어색한 것은?

① Andy said he has never been to Europe.
② She hasn't finished reading the novel yet.
③ We haven't seen each other since last year.
④ The movie had already started when I arrived at the theater.
⑤ Mike will have finished his homework by the time Mom comes.

대표 예제 8 🖊 고1 3월 응용

다음 글의 밑줄 친 말의 형태로 알맞은 것은?

A couple of minutes later, Dorothy's parents came rushing into the house. Samantha <u>suspect</u> that something might be wrong after Dorothy dropped the phone just like that, and she had phoned Dorothy's parents.

① suspects   ② is suspecting
③ have suspected   ④ has suspected
⑤ had suspected

2일 조동사

생각열기

❶ We'd better take a taxi to the concert hall.

❷ OK.

❸ We'll be late for the concert.

❹ We should have taken the subway.

❶ 콘서트장에 택시를 타고 가는 게 좋겠어. ❷ 좋아.
❸ 우리는 콘서트에 늦겠어. ❹ 우리는 지하철을 탔어야 했어.

Quiz

1 조동사 뒤에는 항상 │ 현재분사 / 동사원형 │이(가) 온다.

2 '~할 것이다'의 의미로 미래 예측이나 의지를 나타내는 조동사는 │ will / should │이다.

답 1 동사원형 2 will

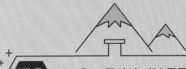

배울 내용

❶ 조동사의 기본 종류   ❷ 그 밖의 조동사
❸ 조동사 + have + p.p.   ❹ 조동사의 관용 표현

단어 미리 보기

- affect   *v.* 영향을 미치다

  affect

- average   *a.* 평균의

- context   *n.* 맥락, 전후 사정, 문맥

- criterion   *n.* 기준 (*pl.* criteria)

- discourage   *v.* 의욕을 꺾다, 좌절시키다

- diverse   *a.* 다양한

  diverse

- enthusiasm   *n.* 열광, 열정

- explain   *v.* 설명하다

- hire   *v.* 고용하다, 빌리다

  hire

- honor   *n.* 명예, 포상

- improve   *v.* 개선하다, 향상시키다

- infant   *n.* 유아

- interconnected   *a.* 상호 연결된, 상관된

- negatively   *ad.* 부정적으로

- occur   *v.* 일어나다, 발생하다

  occur

- performance   *n.* 실적, 성과

- prepare   *v.* 준비하다

- reaction   *n.* 반응, 반작용

  reaction

- resource   *n.* 자원, 재원

- reward   *n.* 보상

  reward

- technical   *a.* 전문적인, 기술적인

- unnecessary   *a.* 불필요한

- vegetarian   *n.* 채식주의자 *a.* 채식의

- based on   ~에 근거하여

- depend on   ~에 의존하다

- figure out   계산해 내다, 생각해 내다

개념 1 조동사의 기본 종류

조동사	의미	부정
can	~할 수 있다 〈능력·가능〉(= be able to)	cannot[can't]
	~해도 된다 〈허가〉(= may)	
may	~일지도 모른다 〈약한 추측〉	❶
	~해도 된다 〈허가〉(= can)	
will	~할 것이다, ~하겠다 〈미래 예측·의지〉 (= be ❷ to)	will not[won't]
must	~해야 한다 〈의무·금지〉(= have to)	must not
	~임에 틀림없다 〈강한 추측〉	cannot(~일 리가 없다)
should	~해야 한다, ~하는 것이 좋다 〈의무·충고〉 (= had better)	should not[shouldn't]

❶ may not

❷ going

There **❸** be some reason for it. 거기에는 어떤 이유가 있음에 틀림없다.

❸ must

You **should** **❹** careful when you use a knife. 칼을 사용할 때는 조심해야 한다.

❹ be

개념 2 그 밖의 조동사

	의미	부정
had better + 동사원형	~하는 게 좋겠다	had better not
would rather + 동사원형[A] **(+ than + 동사원형[B])**	(B하기보다는 차라리) A하겠다	would rather not
used to + 동사원형	~하곤 했다, ~이었다	used not to / didn't use to
would + 동사원형	~하곤 했다	

You **had** **❺** exercise every day. 너는 매일 운동하는 게 좋겠다.

❺ better

There **❻** be an old house here. 여기에 오래된 집이 있었다.

❻ used to

Tip used to와 would는 둘 다 과거의 습관을 표현할 수 있지만, 과거의 상태를 나타낼 때는 used to만 쓸 수 있어요.

1 각 네모 안에서 알맞은 것을 고르시오.

(1) You [must / must not] cross the street at a green light.

(2) I'm sorry but I [can / cannot] keep an appointment with you.

(3) There [would / used to] be a school on the hill.

(4) You [had better / would rather] lose your weight.

keep an appointment 약속을 지키다
hill 언덕
lose one's weight 살을 빼다, 체중이 줄다

2 밑줄 친 부분을 바르게 고쳐 쓰시오.

(1) They are as like as two peas. They <u>should</u> be twins. ➡ _____

(2) He <u>would live</u> in the country. ➡ _____

(3) You <u>had not better go</u> to the party. ➡ _____

(4) I think she <u>may not</u> be a liar. I don't trust her. ➡ _____

pea 완두콩
country 시골, 지방
liar 거짓말쟁이
trust 신뢰하다

3 우리말을 영어로 옮길 때 빈칸에 알맞은 말을 쓰시오.

(1)

그는 천재일 리가 없다.

➡ He _____ be a genius.

genius 천재

(2)

나는 TV를 보느니 차라리 책을 읽겠다.

➡ I _____ _____ read a book _____ watch TV.

2일 어법 핵심 정리 ❷

개념 3 조동사 + have + p.p.

should have p.p.	～했어야 했다 〈과거의 일에 대한 후회나 유감〉
must have p.p.	～했음에 틀림없다 〈과거의 일에 대한 강한 추측〉
may[might] have p.p.	～했을지도 모른다 〈과거의 일에 대한 약한 추측〉
cannot have p.p.	～했을 리가 없다 〈과거의 일에 대한 강한 의심〉
could have p.p.	～했을 수도 있다, ～할 수도 있었다

You should ❶ [   ] been more careful. 너는 더 조심했어야 했다.   ❶ have
It **may have been** true. 그것은 사실이었을지도 모른다.
She **cannot have** ❷ [   ] such a thing. 그녀가 그런 일을 했을 리가 없다.   ❷ done

should have p.p.(～했어야 했다)는 과거에 하지 못한 일에 대한 후회를 나타내고, shouldn't have p.p.(～하지 말았어야 했다)는 과거에 했던 일에 대한 후회를 나타내요.

개념 4 조동사의 관용 표현

may well + 동사원형	～하는 것도 당연하다
may as well + 동사원형	～하는 게 좋겠다 (= had better + 동사원형)
may as well + 동사원형[A] + as + 동사원형[B]	B하기보다는 차라리 A하는 게 낫겠다 (= would rather + 동사원형[A] + ❸ [ ] + 동사원형[B])
cannot but + 동사원형	～할 수밖에 없다 (= cannot help -ing)
cannot ～ too ...	아무리 …해도 지나치지 않다

❸ than

You **may** ❹ [   ] take a nap. 네가 낮잠을 자는 것도 당연하다.   ❹ well
I **may** ❺ [   ] **well** take a train **as** take a bus. 나는 버스를 타느니 차라리 기차를 타겠다.   ❺ as
He **cannot** ❻ [   ] believe it. 그는 그것을 믿을 수밖에 없다.   ❻ but

4 각 네모 안에서 알맞은 것을 고르시오.

(1) You should have [finish / finished] the work.

(2) You may as well [go / going] to bed early.

(3) Kevin is my best friend. He [may / cannot] have lied to me.

(4) You [should / shouldn't] have bought unnecessary things.

lie 거짓말하다
unnecessary 불필요한

5 밑줄 친 부분을 바르게 고쳐 쓰시오.

(1) He cannot have <u>being</u> ill. ➡ _____

(2) Minho didn't come to the party. He <u>must</u> been busy.

➡ _____

(3) We cannot but <u>to laugh</u> at the sight. ➡ _____

(4) Amy <u>shouldn't have arrived</u> there already. I'm afraid she has lost her

way. ➡ _____

ill 아픈
sight 광경, 모습
lose one's way 길을 잃다

6 우리말을 영어로 옮길 때 빈칸에 알맞은 말을 쓰시오.

(1)

나는 더 열심히 공부했어야 했다.

➡ I _____ studied harder.

(2)

엄마는 나 때문에 화가 나셨을지도 모른다.

➡ My mom _____ angry because of me.

2일 적중 예상 베스트

고1 3월 응용

대표 예제 1

다음 우리말과 일치하도록 빈칸에 알맞은 말을 쓰시오.

> 그 일은 그를 낙담시켜서 그의 업무 수행에 부정적인 영향을 미쳤음에 틀림없다.

➡ It ＿＿＿＿＿＿＿ discouraged him and negatively affected his performance.

개념 가이드

'~했음에 틀림없다'는 ☐ have p.p.로 표현한다.

답 must

대표 예제 2

고1 3월 응용

다음 글의 밑줄 친 부분 중 어법상 틀린 것은?

Most of us ①have hired many people ②based on human resources criteria along with some technical and personal information that the boss ③thought was important. I ④have found that most people like to hire people just like themselves. This may ⑤had worked in the past, but today, with interconnected team processes, we don't want all people who are the same.

개념 가이드

과거의 일에 대한 약한 추측을 나타낼 때는 may ☐ p.p.로 표현한다.

답 have

대표 예제 3

고1 3월 응용

다음 괄호 안의 말을 바르게 배열하여 문장을 완성하시오.

(in, I, used, when, young, live, to, Busan, was)

➡ I ＿＿＿＿＿＿＿＿＿＿＿＿＿＿＿.

개념 가이드

'~이었다'의 의미로 과거의 상태를 나타낼 때 '☐ + 동사원형'의 형태로 쓴다.

답 used to

대표 예제 4

고1 6월 응용

다음 글의 빈칸에 공통으로 들어갈 말로 알맞은 것은?

Grown-ups rarely explain the meaning of new words to children, let alone how grammatical rules work. Instead they use the words or the rules in conversation and leave it to children to figure out what is going on. In order to learn language, an infant ＿＿＿＿＿ make sense of the contexts in which language occurs; problems ＿＿＿＿＿ be solved.

① can ② may ③ must
④ would ⑤ used to

개념 가이드

'~해야 한다'의 의미를 나타내는 조동사는 ☐이다.

답 must

대표 예제 **5**
고1 6월 응용

다음 문장에서 어법상 **틀린** 부분을 찾아 바르게 고치시오.

> It seems that you had better walking to the shop to improve your health.

_____ ➡ _____

개념 가이드

'had better + [   ]'은 '~하는 게 좋겠다'라는 의미를 나타낸다.

🔑답 동사원형

대표 예제 **7**
고1 9월 응용

다음 우리말을 영어로 옮길 때 괄호 안의 말을 이용하여 빈칸에 알맞은 말을 쓰시오.

> 네가 지금까지 해 온 모든 것이 이 순간을 위해 너를 준비시켰어야 했다.

➡ Everything that you've done until now _____ you for this moment.
  (should, prepare)

개념 가이드

'~했어야 했다'는 should [   ] p.p.로 나타낸다.

🔑답 have

대표 예제 **6**
고1 6월 응용

다음 글의 밑줄 친 문장을 우리말로 해석하시오.

Compared to the average person, those who are proud of the dishes they make are more likely to enjoy eating vegetarian food and health food. Moreover, this group is more likely than the average person to enjoy eating diverse kinds of food. In contrast, people who say "I would rather clean than make dishes," don't share this wide-ranging enthusiasm for food.

➡ _____

개념 가이드

'would rather + 동사원형 + [   ] + 동사원형'은 '~하기보다는 차라리 …하겠다'라는 의미를 나타낸다.

🔑답 than

대표 예제 **8**
고1 6월 응용

다음 글의 빈칸에 알맞은 말이 순서대로 짝지어진 것은?

Awards are supposed to be rewards—reactions to positive actions, honors for *doing something well*! The ever-present danger in handing out such honors too lightly is that children _____ come to depend on them and do only those things that they know _____ result in prizes.

① may – will   ② should – will
③ may – should   ④ should – may
⑤ should – should

개념 가이드

'[   ]'의 의미로 추측을 나타내는 조동사와 [   ]의 예측을 나타내는 조동사를 생각해 본다.

🔑답 ~일지도 모른다, 미래

3일 수동태

생각 열기

❶ The dog is very cute. What is the dog's name?

❷ He was named "Happy" by my sister, Lily.

❸ What a good name!

❹ Lily said she was made happy by "Happy".

❶ 개가 아주 귀엽구나. 개의 이름이 뭐니? ❷ 내 여동생 Lily가 Happy라고 이름지어줬어.
❸ 좋은 이름이구나! ❹ Lily는 Happy 때문에 행복하다고 했어.

Quiz

1 수동태는 행위의 주체 / 대상 을(를) 주어로 하는 동사의 형태이다.

2 수동태에서 행위의 주체는 ' by / with + 행위자'로 나타낸다.

답 1 대상 2 by

① 수동태의 시제와 형태 ② 4형식 문장의 수동태
③ 5형식 문장의 수동태 ④ 동사구의 수동태
⑤ by 이외의 전치사를 쓰는 수동태의 관용 표현

단어 미리 보기

check~

- [ ] **announce** *v.* 발표하다, 알리다
  annouNCe

- [ ] **assess** *v.* 가늠하다, 평가하다

- [ ] **award** *v.* 수여하다

- [ ] **collapse** *v.* 붕괴되다, 무너지다

- [ ] **contribution** *n.* 기여, 이바지

- [ ] **costume** *n.* 의상, 복장
  Costume

- [ ] **determine** *v.* 알아내다, 밝히다

- [ ] **disappoint** *v.* 실망시키다

- [ ] **expression** *n.* 표현, 표정

- [ ] **impression** *n.* 인상, 느낌

- [ ] **individual** *n.* 개인 *a.* 개인의
  individual

- [ ] **interaction** *n.* 상호 작용

- [ ] **medicine** *n.* 약, 약물

- [ ] **obstacle** *n.* 장애, 장애물
  obstacle

- [ ] **pharmacist** *n.* 약사

- [ ] **philosophy** *n.* 철학

- [ ] **preparation** *n.* 준비

- [ ] **repair** *v.* 수리하다

- [ ] **scenery** *n.* 무대 장치, 경치, 풍경

- [ ] **steal** *v.* 훔치다
  steal

- [ ] **submit** *v.* 제출하다
  submit

- [ ] **transport** *v.* 수송하다

- [ ] **various** *a.* 다양한

- [ ] **bring up** ~을 기르다

- [ ] **look forward to** ~을 기대하다

- [ ] **look up to** ~을 존경하다

3일 어법 핵심 정리 ❶

개념 1 수동태의 시제와 형태

시제	수동태 형태
현재	am / are / is + 과거분사
과거	❶ [　] + 과거분사
미래	will be + 과거분사, be동사 + going to be + 과거분사
진행	be동사 + being + 과거분사
완료	have / has / had / will have + been + 과거분사
조동사가 있는 경우	조동사 + ❷ [　] + 과거분사

❶ was / were

• 수동태의 시제는 be동사의 변화로 표현한다.

❷ be

• 수동태는 행위의 대상을 주어로 하는 동사의 형태로 'be동사 + 과거분사'의 형태로 쓴다.

The car **will be driven** by my mother. 그 차는 우리 엄마가 운전하실 것이다.

The movie **has** ❸ [　] **shown** since last month. 그 영화는 지난달부터 상영되고 있다.

❸ been

Tip 행위의 주체는 'by + 행위자'로 표현해요.

개념 2 4형식 문장의 수동태

	문장의 형태
4형식 문장	주어 + 동사 + 간접목적어(I·O) + 직접목적어(D·O)
간접목적어가 주어가 될 때의 수동태	주어(I·O) + be동사 + 과거분사 + D·O + by + ❹ [　]
직접목적어가 주어가 될 때의 수동태	주어(D·O) + be동사 + 과거분사 + 전치사 + I·O + by + 행위자

• 4형식 문장의 수동태는 간접목적어 또는 직접목적어를 주어로 하는 두 종류의 문장으로 쓸 수 있다.

❹ 행위자

• buy, make, cook, bring, send, read, write, choose 등의 동사는 ❺ [　]를 수동태의 주어로 쓸 수 없다.

❺ 간접목적어

My uncle sent me a toy car. 삼촌은 내게 장난감 자동차를 보내셨다.

→ A toy car **was sent to** me by my uncle.

→ I was sent a toy car by my uncle. (×)

• 직접목적어를 주어로 수동태 문장을 쓸 때 간접목적어였던 명사 앞에 ❻ [　]를 쓴다.

❻ 전치사

 – to를 쓰는 동사: give, send, teach, show, tell, write, read, bring, lend 등

 – for를 쓰는 동사: buy, make, cook, choose, find, get, do 등

 – of를 쓰는 동사: ask, require 등

정답과 해설 **67**쪽

3일

1 각 네모 안에서 어법상 알맞은 것을 고르시오.

(1) The hall is [using / used] for various reasons.

(2) The bike will [repair / be repaired] by my father.

(3) Some questions were asked [to / of] me by my teacher.

(4) This project [must be finished / must is finished] by tomorrow.

various 다양한
repair 수리하다

2 밑줄 친 부분을 어법상 바르게 고쳐 쓰시오.

(1) The vase <u>was broke</u> by my brother. ➡ _____

(2) Trucks <u>are using</u> for transporting goods. ➡ _____

(3) The library <u>has be visited</u> by many students. ➡ _____

(4) Medicine <u>was given for</u> the patient by the pharmacist.

➡ _____

vase 꽃병
transport 수송하다
goods 상품, 제품
medicine 약, 약물
pharmacist 약사

3 우리말을 영어로 옮길 때 괄호 안의 말을 이용하여 문장을 완성하시오.

(1)

그 스마트폰은 오늘 수리될 수 없다.

➡ The smartphone _____ _____

_____ today. (repair)

(2)

동화는 할아버지에 의해 나에게 읽혀졌다.

➡ A fairy tale _____ _____ _____

me by my grandfather. (read)

fairy tale 동화

3일 어법 핵심 정리 ❷

개념 3 | 5형식 문장의 수동태

	문장의 형태
5형식 문장	주어 + 동사 + 목적어(O) + 목적격보어(O·C)
대부분 동사의 수동태	주어(O) + be동사 + ❶ ☐ + 보어(O·C) + by + 행위자
지각동사, 사역동사의 수동태	주어(O) + be동사 + 과거분사 + to부정사(O·C) + by + 행위자

❶ 과거분사

- 지각동사나 사역동사가 쓰인 5형식 문장에서 목적격보어인 동사원형은 수동태 문장에서 ❷ ☐ 로 바뀐다. 단, 지각동사의 목적격보어가 현재분사이면 그대로 쓴다.

❷ to부정사

My friends call me a walking dictionary. 내 친구들은 나를 걸어 다니는 사전이라고 부른다.

→ I am ❸ ☐ a walking dictionary by my friends.

❸ called

I made him repair the computer. 나는 그에게 컴퓨터를 고치도록 했다.

→ He was made to repair the computer.

사역동사 let과 have는 수동태로 쓰지 않아요.

Tip

개념 4 | 동사구의 수동태

- '동사 + 전치사/부사'가 하나의 동사 역할을 하므로, 한 덩어리로 보아 수동태는 'be동사 + 과거분사 + ❹ ☐'로 쓴다.

❹ 전치사/부사

Kevin should take care of the baby. Kevin은 그 아기를 돌봐야 한다.

→ The baby should ❺ ☐ taken care of by Kevin.

❺ be

개념 5 | by 이외의 전치사를 쓰는 수동태의 관용 표현

with	be covered with: ~으로 덮여 있다 be filled with: ~으로 가득 차다 be satisfied with: ~에 만족하다	be crowded with: ~으로 붐비다 be faced with: ~에 직면하다 be pleased with: ~에 기뻐하다
to	be related to: ~와 관계가 있다 be accustomed to: ~에 익숙하다	be married to: ~와 결혼하다 be devoted to: ~에 헌신하다
of	be ashamed of: ~을 부끄러워하다 be composed of: ~으로 구성되다	be ❻ ☐ of: ~에 싫증나다 be made of[from]: ~으로 만들어지다
in	be interested in: ~에 관심이 있다	be involved in: ~와 관련되다
at	be surprised at: ~에 놀라다	be disappointed at: ~에 실망하다

❻ tired

4 각 네모 안에서 어법상 알맞은 것을 고르시오.

(1) The dog was called Dave / to Dave by my family.

(2) I was heard play / playing the guitar from the next door.

(3) Ms. Kim is looked up to by / by up to all her students.

(4) He was disappointed to / at the results.

look up to ~을 존경하다
disappoint 실망시키다

5 어법상 어색한 곳을 찾아 바르게 고쳐 쓰시오.

(1) The mountains are covered by colorful leaves.

_____ ➡ _____

(2) He was seen steal the bike by me.

_____ ➡ _____

(3) She was made cook pizza.

_____ ➡ _____

(4) The concert is being looked by forward to many fans.

_____ ➡ _____

steal 훔치다
look forward to ~을 기대
하다

6 우리말과 일치하도록 괄호 안의 말을 바르게 배열하여 쓰시오.

(1)

그녀는 그녀의 친구 때문에 화가 났다.

(was, she, her, angry, by, made, friend).

➡ _____

(2)

그는 그의 할머니에 의해 길러졌다.

(brought, by, he, up, was, his, grandmother).

➡ _____

bring up ~을 기르다

✏ 고1 11월응용

다음 글의 괄호 안의 말을 알맞은 형태로 고쳐 쓰시오.

> The stage director must gain the audience's attention and direct their eyes to a particular spot or actor. This can be (do) through lighting, costumes, scenery, voice, and movements.

➡ _____

개념 가이드

조동사가 있는 경우 수동태는 '조동사 + be + [   ]'의 형태로 쓴다.

답 과거분사

✏ 고1 11월응용

다음 괄호 안의 말을 바르게 배열하여 쓰시오.

> (be, at, the winners, will, 5:00 p.m., announced) on the day on site.

➡ _____

개념 가이드

미래 시제의 수동태는 'will [   ] + 과거분사'의 형태로 쓴다.

답 be

✏ 고1 11월응용

다음 글의 밑줄 친 부분 중 어법상 틀린 것은?

> George Boole ① was born in Lincoln, England in 1815. Boole ② was forced to leave school at the age of sixteen after his father's business ③ collapsed. He taught himself mathematics, natural philosophy and various languages. He began to produce original mathematical research and made important contributions to areas of mathematics. For those contributions, in 1844, he ④ awarded a gold medal for mathematics ⑤ by the Royal Society.

개념 가이드

행위의 대상이 주어가 되면 '[   ] + 과거분사' 형태의 수동태로 써야 한다.

답 be동사

✏ 고1 11월응용

다음 글의 빈칸에 알맞은 것은?

> You've probably heard the expression, "first impressions matter a lot". Life really doesn't give many people a second chance to make a good first impression. It _____ that it takes only a few seconds for anyone to assess another individual.

① determined　　② is determined
③ be determined　　④ is determining
⑤ has been determined

개념 가이드

주어가 행위의 대상이므로 내용상 현재완료 수동태인 '[   ] been + 과거분사'의 형태가 알맞다.

답 have/has

대표 예제 5
✎ 고1 3월 응용

다음 문장에서 어법상 **틀린** 부분을 찾아 바르게 고치시오.

> Videos should submitted between March 13th and midnight on April 6th to win awesome prizes.

_____ ➡ _____

개념 가이드

주어가 행위의 대상이므로 수동태가 되어야 한다. 조동사가 있는 경우 수동태는 '조동사 + [   ] + 과거분사'의 형태로 쓴다.

답 be

대표 예제 6
✎ 고1 3월 응용

다음 글의 네모 안에서 알맞은 것을 고르시오.

New technologies create new interactions and cultural rules. As a way to encourage TV viewing, social television systems now enable social interaction among TV viewers in different locations. These systems know / be known / are known to build a greater sense of connectedness among TV-using friends.

개념 가이드

내용상 수동태가 되어야 하므로 'be동사 + [   ]'가 알맞다.

답 과거분사

대표 예제 7
✎ 고1 9월 응용

다음 우리말을 영어로 옮길 때 괄호 안의 말을 이용하여 문장을 완성하시오.

> 그는 그의 길 위에 놓여있던 장애물들이 그의 준비의 일부였다는 것을 알았다.

➡ He knew that the obstacles that _____ _____ in his path were part of his preparation. (place)

개념 가이드

과거완료 수동태는 'had [   ] + [   ]'로 나타낸다.

답 been, 과거분사

대표 예제 8
✎ 고1 11월 응용

다음 빈칸에 알맞은 말이 순서대로 짝지어진 것은?

In countries such as Sweden, the Netherlands, and Kazakhstan, the media _____ by the public but _____ by the government.

① own – operate
② owned – operated
③ are owned – operated
④ are owned – operating
⑤ are owning – operated

개념 가이드

주어가 행위의 대상이므로 수동태가 되어야 하며, 두 번째 빈칸은 병렬구조로 [   ]가 생략되어 있다.

답 be동사[are]

4_일 to부정사

생각
열기

❶ 너는 무엇이 되고 싶니?　❷ 내가 꿈꾸는 직업은 영화배우가 되는 거야.

❸ 너는 꿈을 이루기 위해 무엇을 할 거니?　❹ 나는 먼저 다이어트를 시작할 계획이야.　❺ 좋은 생각이야.

Quiz

1 to부정사는 문장에서 명사처럼 주어, 보어, 서술어 / 목적어 의 역할을 한다.

2 to부정사는 형용사처럼 (대)명사를 수식할 수 있으며, 부사 / 동사 처럼 쓰이기도 한다.

답 1 목적어 2 부사

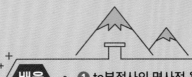
단어
미리 보기

check~

- [ ] **ability**   *n.* 능력, 재능
- [ ] **acquire**   *v.* 습득하다, 얻다

  acquire
- [ ] **anticipation**   *n.* 예상, 예측
- [ ] **appear**   *v.* 나타나다
- [ ] **barely**   *ad.* 간신히, 거의 ~ 아니게[없이]

  barely
- [ ] **coexist**   *v.* 동시에 있다, 공존하다
- [ ] **decade**   *n.* 10년
- [ ] **edge**   *n.* 끝, 가장자리
- [ ] **factory**   *n.* 공장
- [ ] **foreign**   *a.* 외국의
- [ ] **geography**   *n.* 지리, 지형
- [ ] **individually**   *ad.* 개별적으로
- [ ] **influence**   *v.* 영향을 주다

  influence

- [ ] **language**   *n.* 언어, 말
- [ ] **license**   *n.* 면허증
- [ ] **necessary**   *a.* 필요한
- [ ] **perish**   *v.* 죽다, 비명횡사하다
- [ ] **pioneer**   *n.* 개척자

  Pioneer
- [ ] **predict**   *v.* 예측하다
- [ ] **register**   *v.* 등록하다, 신고하다
- [ ] **relationship**   *n.* 관계
- [ ] **shelter**   *n.* 주거지, 보호소
- [ ] **survive**   *v.* 살아남다, 생존하다

  survive
- [ ] **tribe**   *n.* 부족, 종족

  tribe
- [ ] **collaborate with**   ~와 협동하다
- [ ] **turn away**   외면하다, 거부하다

4일 어법 핵심 정리 ❶

개념 1 to부정사의 명사적 용법

역할	예문
주어	**To exercise** every day is good for your health. 매일 운동하는 것은 건강에 좋다.
보어	My dream is **to become** a scientist. 내 꿈은 과학자가 되는 것이다.
목적어	She wants **to build** an animal shelter. 그녀는 동물 보호소를 짓기를 원한다.

- to부정사는 명사처럼 주어, 보어, [❶_____]의 역할을 하며 '~하는 것, [❷_____]'라고 해석한다.

> to부정사(구) 주어는 단수 취급해요. Tip

what + to부정사	무엇을 ~할지	how + to부정사	어떻게 ~할지, ~하는 방법
when + to부정사	언제 ~할지	which + to부정사	어느 것을 ~할지
where + to부정사	어디로 ~할지	who(m) + to부정사	누가[누구를] ~할지

- '의문사 + to부정사'는 명사처럼 쓰이며, '의문사 + 주어 + [❸_____] + 동사원형'으로 바꾸어 쓸 수 있다.

- • to부정사의 부정은 'not[never] + to부정사'의 형태이다.

❶ 목적어
❷ ~하기

❸ should

개념 2 to부정사의 형용사적 용법

어순	예문
(대)명사 + to부정사	It is time <u>to eat</u> lunch. 점심 먹을 시간이다.
-thing, -one, -body(+ 형용사) + to부정사	I have something important **to give** you. 나는 너에게 줄 중요한 것이 있다.
(대)명사 + to부정사 + 전치사	I need a <u>pen</u> **to write** <u>with</u>. 나는 쓸 펜이 필요하다.

- • to부정사는 (대)명사를 뒤에서 수식한다.

- to부정사는 [❹_____]처럼 명사 또는 대명사를 수식하는 역할을 하며 '~할, ~하는'이라는 의미를 나타낸다.

- to부정사의 수식을 받는 명사가 전치사의 목적어일 때는 to부정사 뒤에 [❺_____]를 써야 한다.

- 주어를 서술하는 [❻_____] 역할을 하는 경우에는 예정, 의무, 의도, 가능, 운명 등의 의미를 나타낸다.

  She is **to leave** for New York tomorrow. 그녀는 내일 뉴욕으로 떠날 예정이다.

  You are **to finish** the work in time. 너는 제시간에 그 일을 끝내야 한다.

❹ 형용사

❺ 전치사

❻ 보어

정답과 해설 **68**쪽

4일

1 각 네모 안에서 어법상 알맞은 것을 고르시오.

necessary 필요한
thirsty 목이 마른

(1) [Get / To get] enough sleep is necessary.

(2) I'm thirsty. I need something [drinking / to drink].

(3) He needs a spoon [to eat / to eat with].

(4) She doesn't know [how / what] to solve the math problem.

2 밑줄 친 부분을 어법상 바르게 고쳐 쓰시오.

complete 완료하다
mission 임무
rent 빌리다, 세내다
recycle 재활용하다

(1) His goal is <u>complete</u> the mission. ➡ _____

(2) I want to rent a house <u>to live</u>. ➡ _____

(3) She is looking for <u>something to do interesting</u>. ➡ _____

(4) <u>To recycle</u> plastic bottles <u>are</u> very important. ➡ _____

3 우리말을 영어로 옮길 때 빈칸에 알맞은 말을 쓰시오.

(1)

그는 어디로 가야 할지 모른다.

➡ He doesn't know _____ _____ _____.

(2)

그녀는 앉을 의자가 필요하다.

➡ She needs a chair _____ _____ _____.

개념 3 **to부정사의 부사적 용법**

의미	예문
목적 (~하기 위해서)	He went to the grocery store **to buy** some flour. 그는 밀가루를 사기 위해서 식료품점에 갔다.
감정의 원인 (~해서, ~하니)	I'm very glad **to meet** you again. 나는 너를 다시 만나게 되어서 매우 기쁘다.
판단의 근거 (~하다니)	She must be smart **to solve** the problem. 그 문제를 풀다니 그녀는 똑똑함에 틀림없다.
결과 (…해서 ~하다)	She grew up **to be** a professor. 그녀는 자라서 교수가 되었다.
형용사 수식 (~하기에)	This article is difficult **to understand**. 이 기사는 이해하기 어렵다.

- to부정사는 부사처럼 동사, [**❶**], 부사를 수식할 수 있으며, 부사적 용법의 to부정사는 목적, 감정의 원인, 판단의 근거, 결과 등의 의미를 나타낸다.

❶ 형용사

〈부사적 용법의 관용 표현〉

- 형용사/부사 + enough + to부정사: ~할 정도로 충분히 …한/하게

  She is smart [**❷**] **to solve** the puzzle. 그녀는 그 퍼즐을 풀 정도로 똑똑하다.

❷ enough

- too + 형용사/부사 + to부정사: 너무 ~해서 …할 수 없다

  The lemons are [**❸**] **sour to eat**. 그 레몬은 너무 시어서 먹을 수가 없다.

❸ too

개념 4 **가주어 / 가목적어 / to부정사의 의미상 주어**

가주어/ 가목적어	to부정사(구)가 주어나 목적어로 쓰일 때 주어나 목적어 자리에 it을 쓰고 to부정사(구)를 뒤로 보낼 경우, [**❹**]을 가주어 또는 가목적어라고 한다.
to부정사의 의미상 주어	to부정사의 행위의 주체가 문장의 주어와 다를 경우에 to부정사 앞에 'for + 목적격'을 써서 to부정사의 의미상 주어를 나타낸다.
	사람의 성격을 나타내는 형용사가 쓰이면 의미상 주어로 '[**❺**] + 목적격'을 쓴다.

❹ it

❺ of

It is possible <u>**for him**</u> **to complete** his mission. 그가 그의 임무를 완수하는 것은 가능하다.

가주어   의미상 주어   진주어

Social media makes [**❻**] easier **for us to communicate** with others.

가목적어   의미상 주어   진목적어

❻ it

소셜 미디어는 우리가 다른 사람들과 의사소통하는 것을 더 쉽게 한다.

4 각 네모 안에서 어법상 알맞은 것을 고르시오.

(1) It is ⌈ enough / too ⌉ cold to go out.

(2) It is not easy ⌈ for / of ⌉ me to learn a foreign language.

(3) I will go to the bookstore ⌈ buy / to buy ⌉ some books.

(4) She found ⌈ that / it ⌉ difficult to draw her self-portrait.

foreign 외국의
language 언어, 말
self-portrait 자화상

5 어법상 어색한 부분을 찾아 바르게 고쳐 쓰시오.

(1) He made that a rule to get up at 6 every morning.

_____ ➡ _____

(2) It is very kind for you to help me.

_____ ➡ _____

(3) That is impossible to predict the future.

_____ ➡ _____

(4) His handwriting is to read difficult.

_____ ➡ _____

predict 예측하다
handwriting 필체, 글씨체

6 우리말을 영어로 옮길 때 빈칸에 알맞은 말을 쓰시오.

(1)

그는 책을 읽기 위해서 불을 켰다.

➡ He turned on the light _____ _____ a book.

(2)

그녀는 차를 운전할 정도로 나이가 들었다.

➡ She is old _____ _____ _____ a car.

turn on (전원을) 켜다

대표 예제 1 ✎ 고1 3월 응용

다음 문장의 괄호 안의 말을 알맞은 형태로 고쳐 쓰시오.

> Leonardo Da Vinci made his sketches individually, but he collaborated with other people (add) the finer details.

➡ _____

개념 가이드

'~하기 위해서'라는 의미로 목적을 나타낼 때는 부사적 용법의 [   ]로 쓴다.

답 to부정사

대표 예제 3 ✎ 고1 9월 응용

주어진 우리말과 일치하도록 괄호 안의 말을 바르게 배열하여 쓰시오.

> 불과 지난 10년 만에 우리는 컴퓨터로 놀라운 것을 할 수 있는 능력을 습득하였다.
>
> ➡ Just in the last decade (we, things, do, have acquired, to, the ability, amazing) with computers.

➡ _____

개념 가이드

형용사적 용법의 to부정사는 명사를 [   ] 수식한다.

답 뒤에서

대표 예제 2 ✎ 고1 11월 응용

다음 글의 밑줄 친 부분 중 어법상 틀린 것은?

　There is the leopard seal, for one, which likes ①to have penguins for a meal. What is an Adéie ②to do? The penguins' solution is ③to play the waiting game. They wait and wait and wait by the edge of the water until one of them gives up and ④jump in. The moment that occurs, the rest of the penguins watch with anticipation ⑤see what happens next. If the pioneer survives, everyone else will follow suit. If it perishes, they'll turn away.　*leopard seal 표범물개

개념 가이드

to부정사는 문장에서 명사, 형용사, [   ]의 역할을 한다.

답 부사

대표 예제 4 ✎ 고1 9월 응용

다음 글의 빈칸에 들어갈 말로 알맞은 것은?

　Have you ever wanted to learn _____ photographs using your smartphone or tablet? Then come and join us on our exciting Photography Walks Program. All ages and skill levels are welcome!

① how take
② how to take
③ when take
④ when to take
⑤ why to take

개념 가이드

'어떻게 ~할지, ~하는 방법'은 '[   ] + [   ]'로 표현한다.

답 how, to부정사

4일

대표 예제 **5** ✎고1 11월응용

다음 문장에서 어법상 틀린 부분을 찾아 바르게 고치시오.

> Is it possible of these tribes to coexist in a world where the concept of "us and them" remains?

_____ ➡ _____

개념 가이드

to부정사의 의미상 주어는 '[   ] + 목적격'으로 나타낸다. 단, 사람의 성격을 나타내는 형용사가 쓰인 경우에는 '[   ] + 목적격'으로 나타낸다. **답** for, of

대표 예제 **7** ✎고1 3월응용

다음 괄호 안의 말을 이용하여 빈칸에 알맞은 말을 쓰시오.

> The best thing about driverless cars is that people won't need a license _____ _____ them. (operate)

개념 가이드

to부정사는 목적을 의미하는 [   ] 용법으로도 쓰인다. **답** 부사적

대표 예제 **6** ✎고1 9월응용

다음 글의 각 네모 안에서 알맞은 것을 고르시오.

> Fast fashion items may not cost you much at the cash register, but they come with a serious price: tens of millions of people in developing countries, some just children, work long hours in dangerous conditions make / to make them, in the kinds of factories often labeled sweatshops. Most garment workers are paid barely enough survive / enough to survive .

개념 가이드

to부정사는 목적을 의미하는 부사적 용법으로 쓰인다. '형용사/부사 + [   ] + to부정사'는 '~할 정도로 충분히 …한/하게'의 의미를 나타낸다. **답** enough

대표 예제 **8** ✎고1 3월응용

다음 글의 빈칸에 알맞은 말이 순서대로 짝지어진 것은?

> Geography influenced human relationships in Greece. Because the land made travel so difficult, the guest-host relationship was valued. If a stranger, even a poor man, appeared at your door, _____ was your duty _____ a good host, to give him a shelter and share your food with him.

① this – being ② it – be
③ this – to be ④ it – been
⑤ it – to be

개념 가이드

주어인 to부정사(구)를 뒤로 보내면, 그 주어 자리에 가주어 [   ]을 쓴다. **답** it

5^일 동명사

생각
열기

① On arriving in Paris, please call me. I have something to tell you.

② OK. By the way, what are you telling me?

③ Well, don't forget to bring me a present.

④ Oh, my god.

① 파리에 도착하자마자 전화해줘. 너에게 할 말이 있어. ② 그래. 그런데 나한테 할 말이 뭔데?
③ 음, 내게 선물 가져오는 것을 잊지 마. ④ 맙소사.

Quiz

1 동명사는 문장에서 동사 / 명사 의 역할을 한다.

2 'forget + to부정사 / 동명사 '는 '(과거에) ~했던 것을 잊다'라는 의미이다.

답 **1** 명사 **2** 동명사

단어
미리 보기

check~

- [ ] **admit**   *v.* 인정하다, 시인하다

  admit

- [ ] **apologize**   *v.* 사과하다

- [ ] **argue**   *v.* 언쟁을 하다, 다투다

  argue

- [ ] **bias**   *n.* 편견, 편향

- [ ] **cognitive**   *a.* 인식의, 인지의

- [ ] **condition**   *v.* 몸의 상태를 조절하다 *n.* 조건, 상태

- [ ] **custom**   *n.* 관습, 풍습

- [ ] **distance**   *n.* 거리

- [ ] **flexibility**   *n.* 유연성

- [ ] **humility**   *n.* 겸손

- [ ] **intellectual**   *a.* 지능의, 지적인

- [ ] **involve**   *v.* 수반하다, 포함하다

- [ ] **knowledge**   *n.* 지식

  knowledge

- [ ] **limit**   *n.* 한계, 한도

- [ ] **objective**   *a.* 객관적인

- [ ] **offer**   *n.* 제의, 제안

- [ ] **opinion**   *n.* 의견

- [ ] **overcome**   *v.* 극복하다, 이기다

  overcome

- [ ] **period**   *n.* 기간, 시기

- [ ] **possess**   *v.* 소유하다

- [ ] **recognize**   *v.* 알아보다, 인정하다

  recognize

- [ ] **scramble**   *v.* 재빨리 움직이다

- [ ] **species**   *n.* 종 (생물 분류의 기초 단위)

  species

- [ ] **tend**   *v.* (~하는) 경향이 있다, ~하기 쉽다

- [ ] **viewpoint**   *n.* 관점, 시각

- [ ] **virtuous**   *a.* 도덕적인, 고결한

5일 어법 핵심 정리 ①

개념 1 동명사의 용법

역할	예문
주어	**Having** breakfast is good for your health. 아침을 먹는 것은 건강에 좋다.
보어	My dream is **becoming** a famous actor. 내 꿈은 유명한 배우가 되는 것이다.
목적어	I have just finished **washing** the dishes. 〈동사의 목적어〉 나는 설거지하는 것을 막 끝냈다. She is interested in ❶ _____ the guitar. 〈전치사의 목적어〉 그녀는 기타 치는 것에 흥미가 있다.

• 동명사(구) 주어는 단수 취급한다.

❶ playing

• 동명사는 '동사원형 -ing' 형태로 문장에서 주어, 보어, 목적어로 ❷ _____ 의 역할을 한다.

❷ 명사

He apologized to me for ❸ _____ **keeping** his promise.

❸ not

그는 약속을 지키지 않은 것에 대해 나에게 사과했다.

Tip 동명사의 부정은 'not[never] + 동명사'의 형태로 써요.

개념 2 동명사의 의미상 주어 / 동명사의 시제

동명사의 의미상 주어	소유격[목적격] (의미상 주어가 무생물일 때는 목적격을 씀)
의미상 주어를 생략하는 경우	주어가 일반인일 경우 / 문장의 주어, 목적어와 일치할 경우

• 동명사의 행위의 주체를 나타내는 의미상 주어는 ❹ _____ 앞에 소유격이나 목적격을 써서 나타낸다.

❹ 동명사

Do you mind **my using** your phone? 제가 당신의 전화기를 사용해도 될까요?

I can't imagine **the lake running** dry. 나는 그 호수가 말라버리는 것을 상상할 수 없다.

단순동명사(동사원형 -ing)	문장의 동사와 ❺ _____ 시제이거나 미래일 경우
완료동명사(having + p.p.)	문장의 동사보다 이전에 일어난 일인 경우

❺ 같은

• 동명사가 문장의 시제보다 앞서 일어난 일을 나타낼 때는 '❻ _____ + p.p.(과거분사)'로 쓴다.

❻ having

She denied **having taken** the purse from my bag.

그녀는 내 가방에서 지갑을 가져갔던 것을 부인했다.

5일

1 각 네모 안에서 어법상 알맞은 것을 고르시오.

(1) ｜Make / Making｜ new friends may not be easy.

(2) He is not interested in ｜taking / to take｜ pictures.

(3) I'm sure of ｜he / his｜ accepting my offer.

(4) I'm sorry for ｜coming not / not coming｜ on time.

accept 받아들이다
offer 제의, 제안
on time 제시간에

2 어법상 어색한 곳을 찾아 바르게 고쳐 쓰시오.

(1) I enjoy watch comedy movies.

_____ ➡ _____

(2) My mother is sure of I passing the exam.

_____ ➡ _____

(3) Taking vitamins are good for your health.

_____ ➡ _____

(4) I apologized for have be late.

_____ ➡ _____

apologize 사과하다

3 우리말을 영어로 옮길 때 괄호 안의 말을 이용하여 문장을 완성하시오.

(1)

그녀의 취미는 영화를 보는 것이다.

➡ Her hobby is _____ _____. (watch)

(2)

당신의 건강을 위해 가장 좋은 것은 흡연하지 않는 것이다.

➡ The best thing for your health is _____
_____. (smoke)

smoke 담배를 피우다

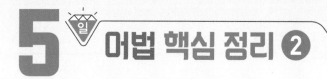

개념 3   동명사 vs. to부정사

동명사를 목적어로 쓰는 동사	finish, stop, keep, enjoy, mind, avoid, practice, deny, admit, imagine, recommend, involve 등
to부정사를 목적어로 쓰는 동사	want, hope, expect, need, decide, plan, choose, learn, agree, promise, manage 등
동명사와 to부정사를 모두 목적어로 쓰는 동사	like, love, hate, prefer, start, begin, continue 등

• 목적어에 따라 의미가 달라지는 동사

remember	+ 동명사	(과거에) ~했던 것을 기억하다	
	+ to부정사	(앞으로) ~할 것을 기억하다	
forget	+ ❶ ☐	(과거에) ~했던 것을 잊다	❶ 동명사
	+ to부정사	(앞으로) ~할 것을 잊다	
regret	+ 동명사	(과거에) ~했던 것을 ❷ ☐ 하다	❷ 후회
	+ to부정사	(현재, 앞으로) ~하게 되어 유감이다	
try	+ 동명사	(시험 삼아) ❸ ☐	❸ ~해 보다
	+ to부정사	~하려고 노력하다	

I **remember** ❹ ☐ tennis with Amy. 나는 Amy와 테니스 쳤던 것을 기억한다.　　❹ playing
I **remember to play** tennis with Amy 나는 Amy와 테니스 칠 것을 기억한다.

개념 4   동명사의 관용적 표현

on -ing	~하자마자	far from -ing	전혀 ~이 아닌	
go -ing	~하러 가다	be ❺ ☐ -ing	~하느라 바쁘다	❺ busy
keep (on) -ing	계속 ~하다	feel like -ing	~하고 싶다	
be ❻ ☐ -ing	~할 만한 가치가 있다	It is no use -ing	~해도 소용없다	❻ worth
be used to -ing	~하는 데 익숙하다	make a point of -ing	~하는 것을 규칙[습관]으로 하다	
have difficulty [trouble] -ing	~하느라 고생하다	keep[prevent] ... from -ing	...가 ~하는 것을 막다	

5일

4 각 네모 안에서 어법상 알맞은 것을 고르시오.

(1) Do you mind my opening / to open the window?

(2) He decided growing / to grow his hair.

(3) On arrive / arriving home, she turned on the computer.

(4) Don't forget taking / to take the medicine on time.

mind 언짢아하다
decide 결정하다
medicine 약, 약물

5 어법상 어색한 곳을 찾아 바르게 고쳐 쓰시오.

(1) She finished to do her homework.

_____ ➡ _____

(2) He is used to go to bed late.

_____ ➡ _____

(3) Remember wear your mask when you go out.

_____ ➡ _____

(4) It is no use worry about what you have done.

_____ ➡ _____

wear 쓰고 있다, 착용하다
worry 걱정하다

6 우리말을 영어로 옮길 때 빈칸에 알맞은 말을 쓰시오.

(1)

그녀는 시험 공부를 하느라 바빴다.

➡ She was _____ _____ for the test.

(2)

추운 날씨가 우리를 밖에 나가 놀지 못하게 했다.

➡ Cold weather kept us _____ _____ outside.

weather 날씨

5일 적중 예상 베스트

다음 괄호 안의 말을 알맞은 형태로 고쳐 쓰시오.

> Many people enjoy (hunt) wild species of mushrooms in the spring season, because they are excellent edible mushrooms and are highly prized.

➡ _____

개념 가이드

enjoy는 동사가 목적어로 올 때 [ ] 형태로 쓴다.

답 동명사

다음 글의 밑줄 친 부분 중 어법상 틀린 것은?

　Intellectual humility is ①admitting you are human and there are limits to the knowledge you have. It involves ②to recognize that you possess cognitive and personal biases, and that your brain tends ③to see things in such a way that your opinions and viewpoints are favored above others. It is ④being willing to work ⑤to overcome those biases in order to be more objective and make informed decisions.

개념 가이드

동명사는 문장 내에서 주어, [ ], 목적어의 역할을 한다.
목적어로 동명사를 취하는 동사와 [ ]를 취하는 동사를 잘 외우도록 한다.

답 보어, to부정사

주어진 우리말과 일치하도록 괄호 안의 말을 바르게 배열하여 쓰시오.

> 그는 미덕이 있다는 것은 균형을 찾는 것을 의미한다고 주장했다.
> ➡ He argued that (finding, virtuous, balance, being, means, a).

➡ _____

개념 가이드

that절의 주어와 동사의 목적어가 모두 [ ] 형태로 쓰인 것에 주의한다.

답 동명사

다음 글의 빈칸에 들어갈 말로 알맞은 것은?

　We tend to go long periods of time without _____ out to the people we know. Then, we suddenly take notice of the distance that has formed and we scramble to make repairs.

① reach   ② reaches
③ reached   ④ reaching
⑤ to reach

개념 가이드

전치사의 목적어로 동사를 쓸 때는 [ ] 형태로 쓴다.

답 동명사

대표 예제 5 ✎고1 3월응용

다음 문장에서 어법상 **틀린** 부분을 찾아 바르게 고치시오.

When Fred first met his German hosts, he shook hands firmly, and even remembered bowing the head slightly as is the German custom.

⇒ _____ ➡ _____

개념 가이드

remember + [_____] : (앞으로) ~할 것을 기억하다

답 to부정사

대표 예제 7 ✎고1 6월응용

다음 글의 밑줄 친 부분 중 어법상 **틀린** 것은?

You can ①buy conditions for happiness, but you can't ②buy happiness. It's like ③to play tennis. You can't buy the joy of ④playing tennis at a store. You can buy the ball and the racket, but you can't buy the joy of playing. ⑤To experience the joy of tennis, you have to learn, to train yourself to play.

개념 가이드

두 번째 문장의 like는 [_____]로 쓰였다.

답 전치사

대표 예제 6 ✎고1 11월응용

다음 중 밑줄 친 부분의 쓰임이 나머지와 **다른** 것은?

① She is not used to <u>using</u> chopsticks.
② My hobby is <u>taking</u> pictures of scenery.
③ <u>Skipping</u> breakfast is not good for your health.
④ He has just finished <u>cleaning</u> his room.
⑤ Eric is <u>baking</u> some cookies for his friends.

개념 가이드

동명사는 문장에서 주어, 보어, 목적어로 [_____]의 역할을 하고, 현재분사는 [_____] 역할을 하거나 진행 중인 동작을 나타낸다.

답 명사, 형용사

대표 예제 8 ✎고1 11월응용

다음 글의 각 네모 안에서 알맞은 것을 고르시오.

Training and conditioning for baseball focuses on [to develop / developing] strength, power, speed, quickness and flexibility. Before the 1980s, strength training was not an important part of [to condition / conditioning] for a baseball player. People viewed baseball as a game of skill and technique rather than strength, and most managers and coaches saw strength training as something for bodybuilders, not baseball players.

개념 가이드

to부정사는 [_____]의 목적어로 쓸 수 없다.

답 전치사

✎고1 3월 응용

[1~2] 다음 글을 읽고 물음에 답하시오.

> Say you normally go to a park to walk or work out. Maybe today you should choose a different park. Why? Well, who knows? Maybe it's because you need the connection to the different energy in the other park. Maybe you'll run into people there that ⓐ_____ before. You could make a new best friend simply by ⓑ visit a different park. You never know what great things will happen to you until you step outside the zone where you feel comfortable.

1 위 글의 빈칸 ⓐ에 들어갈 말로 알맞은 것은?

① you meet

② you don't meet

③ you'll meet

④ you'll never meet

⑤ you've never met

2 위 글의 밑줄 친 ⓑ를 알맞은 형태로 쓰시오.

➡ _____

✎고1 3월 응용

3 다음 밑줄 친 부분을 어법상 바르게 고쳐 쓰시오.

> This <u>may have working</u> in the past, but today, with interconnected team processes, we don't want all people who are the same.

➡ _____

✎고1 11월 응용

4 다음 우리말과 일치하도록 괄호 안의 말을 이용하여 문장을 완성하시오.

> 1884년에 그는 수학으로 금메달을 받았다.
> ➡ In 1844, he _____ _____ a gold medal for mathematics. (award)

5 다음 우리말을 영어로 바르게 옮긴 것은?

> 나는 전에 롤러코스터를 타 본 적이 없다.

① I did not ride a roller coaster.

② I have ridden a roller coaster.

③ I never have ridden a roller coaster.

④ I don't have to ride a roller coaster.

⑤ I have never ridden a roller coaster.

✎고1 9월 응용

[6~7] 다음 글을 읽고 물음에 답하시오.

A quick look at history shows that humans have not always had the abundance of food that is enjoyed throughout most of the developed world today. In fact, ⓐ(there, numerous, been, have, times) in history when food has been rather scarce. As a result, people ⓑused to eat more when food was available since the availability of the next meal was questionable.

6 위 글의 괄호 ⓐ의 말을 바르게 배열하여 쓰시오.

➡ _____

7 위 글의 밑줄 친 ⓑ와 바꾸어 쓸 수 있는 것은?

① may   ② would

③ should   ④ must

⑤ would rather

✎고1 3월 응용

8 다음 빈칸에 알맞은 말을 괄호 안의 말을 이용하여 쓰시오.

> **Toy & Gift Warehouse Sale**
>
> at Wilson Square
>
> from April 3 to April 16
>
> • Wednesday ~ Friday:
>   10 a.m. ~ 6 p.m.
> • Saturday & Sunday:
>   11 a.m. ~ 5 p.m.
> • Closed on Monday & Tuesday
> • Returns _____ within one week of purchase.
> • For more information, please visit us at www.poptoy.com.

➡ _____ (must, make)

6일 누구나 100점 테스트 2회

[1~2] 다음 각 네모 안에서 알맞은 것을 골라 쓰시오.

고1 3월 응용

1

To take risks (1) | mean / means | you will succeed sometime but never to take a risk (2) | mean / means | that you will never succeed.

(1) _____ (2) _____

고1 3월 응용

2

Life is filled (1) | by / with | a lot of risks and challenges and if you (2) | want / will want | to get away from all these, you will be left behind in the race of life.

(1) _____ (2) _____

고1 9월 응용

3 다음 문장에서 어법상 **틀린** 부분을 찾아 바르게 고쳐 쓰시오.

There are many methods for find answers to the mysteries of the universe.

_____ ⇒ _____

고1 3월 응용

[4~5] 다음 글을 읽고 물음에 답하시오.

In small towns the same workman makes chairs and doors and tables, and often the same person builds houses. And ⓐthat is, of course, impossible for a man of many trades to be skilled in all of them. In large cities, on the other hand, because many people make demands on each trade, one trade alone — very often even less than a whole trade — is enough ⓑsupport a man.

4 위 글의 밑줄 친 ⓐ에서 어법상 **틀린** 곳을 찾아 바르게 고쳐 쓰시오.

_____ ⇒ _____

5 위 글의 밑줄 친 ⓑ를 알맞은 형태로 쓰시오.

⇒ _____

�고1 6월응용

[6~7] 다음 글을 읽고 물음에 답하시오.

Dear Mr. Anderson

On behalf of Jeperson High School, ⓐ저는 허가를 요청하기 위해 이 편지를 쓰고 있습니다 to conduct an industrial field trip in your factory. We hope to give some practical education to our students in regard to industrial procedures. But of course, we need your blessing and support. 35 students _____ⓑ_____ by two teachers. And we would just need a day for the trip. I would really appreciate your cooperation.

Sincerely,

Mr. Ray Feynman

6 위 글의 밑줄 친 ⓐ를 괄호 안의 말을 이용하여 영작하시오. (8단어)

➡ _____

(write, this letter, request, permission)

7 위 글의 빈칸 ⓑ에 들어갈 말로 알맞은 것은?

① would accompany

② would accompanied

③ would be accompanied

④ would are accompanied

⑤ would be accompanying

device고1 3월응용

[8~9] 다음 글을 읽고 물음에 답하시오.

The point ⓐto remember is that sometimes in arguments the other person is trying to get you to be angry. They may be saying things that are intentionally designed to annoy you. They know that if they get you to lose your cool you'll say something that sounds foolish; you'll simply get angry and then ⓑ(you, it, impossible, the argument, for, will be, to win). So don't fall for it.

8 위 글의 밑줄 친 ⓐ와 쓰임이 같은 것은?

① I have something to tell you.

② My dream is to become a singer.

③ This cap is comfortable to wear.

④ I was happy to see him again.

⑤ She agreed to go to the theater.

9 위 글의 괄호 ⓑ의 말을 바르게 배열하여 쓰시오.

➡ _____

A 다음 두 문장을 한 문장으로 바꿀 때 빈칸에 알맞은 말을 쓰시오.

1
She started writing the letter this morning.
She is still writing it.

➡ She _____ since this morning.

2
I arrived at the stadium.
Before that, the baseball game already started.

➡ When I _____ at the stadium the baseball game _____.

B 다음 그림의 상황을 나타내는 문장에서 어법상 틀린 부분을 바르게 고쳐 문장을 다시 쓰시오.

1

She enjoys to watch horror movies.

➡ _____

2

He was made read the book by his father.

➡ _____

6_일

C 다음 그림을 보고 대화의 밑줄 친 부분에서 어색한 부분을 바르게 고쳐 문장을 다시 쓰시오.

1

A How was your trip to India?
B It was wonderful, and I especially liked the Taj Majal. I'll never forget to see it.

➡ _____

2

A Can you help me? I'm not used to use this oven.
B Oh, of course.

➡ _____

D 다음 우리말과 일치하도록 빈칸에 알맞은 말을 쓰시오.

1 너무 어두워서 나는 책을 읽을 수가 없다.
   It's _____ dark _____ me _____ _____ a book.

2 나는 어제 수학을 더 열심히 공부했어야 했다.
   I _____ _____ _____ math harder yesterday.

A 다음 중 알맞은 단어 카드를 골라 문장을 완성하시오.

1 Making mistakes

☐ is
☐ are

better than doing nothing.

2 The report should

☐ hand
☐ be handed

in by Wednesday.

3 The coat is

☐ too
☐ so

tight for me to wear.

B 다음 대화에서 어법상 <u>잘못</u> 말한 문장을 바르게 고쳐 다시 쓰시오.

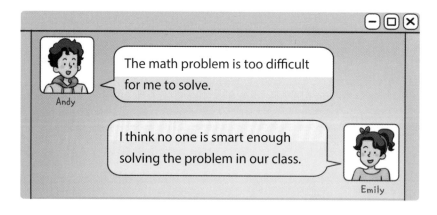

Andy: The math problem is too difficult for me to solve.

Emily: I think no one is smart enough solving the problem in our class.

➡ _____

다음 문장의 빈칸에 들어갈 말을 이용하여 아래의 퍼즐을 완성하시오.

Down

1 Minho has never _____ to New York before. (민호는 전에 뉴욕에 가 본 적이 없다.)

2 The repairs will have been _____ by the end of this month.
(수리는 이번 달 말까지 완료될 것이다.)

4 I have _____ English since I was 10. (나는 10살부터 영어를 배우고 있다.)

6 You are _____ young to drive a car. (너는 너무 어려서 차를 운전할 수 없다.)

Across

3 My dream is _____ Mt. Everest. (내 꿈은 에베레스트 산에 오르는 것이다.)

5 I would _____ take a taxi than take a bus. (나는 버스를 타기보다는 택시를 타겠다.)

7 You _____ have been more careful. (너는 더 조심했어야 했다.)

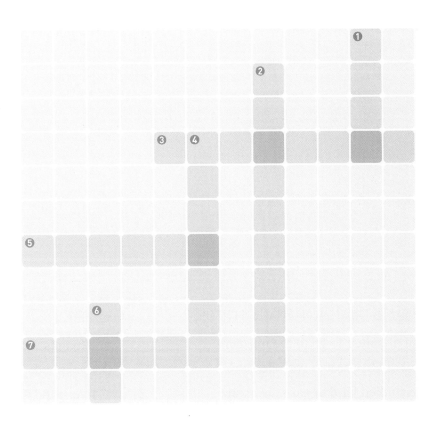

고1 6월 응용

1 다음 글의 밑줄 친 우리말을 괄호 안의 말을 이용하여 영작하시오.

> When reading another scientist's findings, think critically about the experiment. Ask yourself: Were observations recorded during or after the experiment? Do the conclusions make sense? <u>그 결과들은 반복될 수 있는가?</u> Are the sources of information reliable?

➡ _____

(can, the results, repeat)

2 다음 중 밑줄 친 부분의 쓰임이 나머지 넷과 <u>다른</u> 것은?

① I am planning <u>to go</u> to the museum.

② Amy did her best <u>to win</u> the game.

③ She studied hard <u>to pass</u> the exam.

④ He reached out his hand <u>to help</u> me.

⑤ Many people came <u>to see</u> his magic show.

고1 6월 응용

[3~4] 다음 글을 읽고 물음에 답하시오.

> Positively or negatively, our parents and families are powerful influences on us. But even stronger, especially when we're young, are our ___ⓐ___. We often choose friends as a way of ⓑ<u>expand</u> our sense of identity beyond our families. As a result, the pressure ⓒ<u>conform</u> to the standards and expectations of friends and other social groups is likely to be intense.

3 위 글의 빈칸 ⓐ에 들어갈 말로 알맞은 것은?

① parents   ② families

③ friends   ④ siblings

⑤ neighbors

4 위 글의 밑줄 친 ⓑ와 ⓒ의 알맞은 형태로 바르게 짝지어진 것은?

① expands – conforms

② to expand – conforming

③ to expand – to conform

④ expanding – conformed

⑤ expanding – to conform

✎ 고1 3월 응용

5 다음 밑줄 친 부분 중 어법상 **틀린** 것은?

> ① Having friends with other interests
> ② keep life ③ interesting—just ④ think of
> what you can ⑤ learn from each other.

✎ 고1 9월 응용

[7~8] 다음 글을 읽고 물음에 답하시오.

> From the ⓐ beginning of human history,
> people ⓑ have asked questions about the world
> and their place within it. For early societies,
> the answers to the most basic questions
> ⓒ found in religion. Some people, _____,
> ⓓ found the traditional religious explanations
> inadequate, and they began ⓔ to search for
> answers based on reason.

7 위 글의 밑줄 친 ⓐ~ⓔ 중 어법상 **틀린** 것은?

① ⓐ　　② ⓑ　　③ ⓒ　　④ ⓓ　　⑤ ⓔ

6 다음 우리말을 영어로 옮길 때 빈칸에 알맞은 말을 쓰시오.

(1) 나는 Brian을 위해 무엇을 해야 할지 모르겠다.

➡ I don't know _____ _____
_____ for Brian.

(2) 그는 실수를 했음에 틀림없다.

➡ He _____ _____ _____ a
mistake.

8 위 글의 빈칸에 들어갈 말로 알맞은 것은?

① as a result

② therefore

③ for example

④ however

⑤ besides

9 다음 문장의 네모 안에서 알맞은 것을 고르시오.

(1) She found that someone | has broken / had broken | into her house.

(2) This book is worth | reading / to read |.

11 다음 밑줄 친 부분을 어법상 바르게 고쳐 쓰시오.

✎고1 9월 응용

The second student arrived at the finish feeling tired and regretting the path he <u>has chosen</u>.

➡ _____

10 다음 문장 중 어법상 옳은 것은?

① You should have gotten up earlier.

② He is not used to use chopsticks.

③ I would rather to drink milk than juice.

④ You'd better to hurry up not to be late.

⑤ She may have feeling disappointed at the result.

12 다음 글의 빈칸에 들어갈 말로 알맞은 것은?

✎고1 3월 응용

"I learned a big lesson today," Dorothy said. Her parents expected her to say something about the fire. But she talked about something different. "I _____ kind words more just like you." Her parents were very grateful, because Dorothy had quite a temper.

① decide to use

② decided using

③ have decided use

④ have decided using

⑤ have decided to use

✎고1 6월 응용

[13 ~ 14] 다음 글을 읽고 물음에 답하시오.

When we compare human and animal desire we find many extraordinary differences. Animals tend to eat with their stomachs, and humans with their brains. When animals' stomachs are full, they stop ____ⓐ____, but humans are never sure ____ⓑ____. When they have eaten as much as their bellies can take, they still feel empty, they still feel an urge for further gratification.

13 위 글의 빈칸 ⓐ에 들어갈 말로 알맞은 것은?

① eat   ② eats

③ to eat   ④ eating

⑤ to be eaten

14 위 글의 빈칸 ⓑ에 들어갈 말로 알맞은 것은?

① what to stop   ② where to stop

③ when to stop   ④ who to stop

⑤ which to stop

✎고1 3월 응용

15 다음 글의 밑줄 친 우리말을 영어로 옮길 때 괄호 안의 말을 바르게 배열하여 쓰시오.

Teenagers argue that they can study better with the TV or radio playing. Some professionals actually support their position. They argue that many teenagers can actually study productively under less than ideal conditions because 그들은 '배경 소음'에 반복적으로 노출되어 왔다 since early childhood.

(they, repeatedly, been exposed, to, "background noise", have)

➡ _____

16 다음 두 문장을 한 문장으로 바꾸어 쓸 때 빈칸에 알맞은 말을 쓰시오. (5단어)

Minho started playing the guitar two hours ago. He is still playing it.

➡ Minho _____ for two hours.

1 다음 문장 중 밑줄 친 부분이 어법상 틀린 것은?

① I <u>have never tried</u> surfing.

② <u>Have you ever seen</u> a penguin?

③ She <u>has never been</u> to China.

④ He <u>has been cooking</u> for two hours.

⑤ I <u>have finished</u> the project yesterday.

2 위 글의 밑줄 친 ⓐ와 쓰임이 같은 것은?

① She decided <u>to have</u> a dog.

② I have something <u>to tell</u> you.

③ I have some tips <u>to relieve</u> your stress.

④ I was very happy <u>to receive</u> your email.

⑤ The best thing is <u>to listen</u> to your teacher.

✎ 고1 11월 응용

[2~4] 다음 글을 읽고 물음에 답하시오.

Impressionist paintings are probably most popular; it is an easily understood art which does not ask the viewer to work hard to understand the imagery. Impressionism is 'comfortable' ⓐ<u>to look</u> at, with its summer scenes and bright colours appealing to the eye. ⓑ기억하는 것이 중요하다, however, that this new way of painting was challenging to its public not only in the way that it was made but also in what was shown. ⓒ<u>They never had seen such</u> 'informal' paintings before.

3 위 글의 밑줄 친 ⓑ를 영어로 바르게 옮긴 것은?

① It is important remember

② It is important to remember

③ It is to remember important

④ That is important remember

⑤ That is important to remember

4 위 글의 밑줄 친 ⓒ에서 어법상 틀린 부분을 찾아 바르게 고쳐 쓰시오.

_____ ➡ _____

✎ 고1 9월 응용

[5~6] 다음 글을 읽고 물음에 답하시오.

After the technical rehearsal, the theater company ⓐ <u>will meet</u> with the director, technical managers, and stage manager ⓑ <u>to review</u> the rehearsal. Usually there ⓒ <u>will be</u> comments about all the good things about the performance. Individuals ⓓ <u>should make</u> mental and written notes on the positive comments about their own personal contributions as well as <u>those</u> directed toward the crew and the entire company. ⓔ <u>Build</u> on positive accomplishments can reduce nervousness.

5 위 글의 밑줄 친 ⓐ~ⓔ 중 어법상 틀린 것은?

① ⓐ ② ⓑ ③ ⓒ ④ ⓓ ⑤ ⓔ

6 위 글의 밑줄 친 those가 가리키는 것으로 알맞은 것은?

① good things
② individuals
③ written notes
④ positive comments
⑤ the entire company

7 주어진 우리말을 영어로 옮길 때 괄호 안의 말을 이용하여 문장을 완성하시오.

✎ 고1 9월 응용

(1) 18세 미만의 모든 사람은 성인과 동반해야 합니다.

➡ All those under the age of 18 _____ _____ _____ by an adult.

(must, accompany)

✎ 고1 6월 응용

(2) 당신은 건강을 향상시키기 위해 그 가게로 걸어가는 게 좋을 것 같다.

➡ It seems that you _____ _____ _____ to the shop to improve your health. (had, walk)

8 다음 문장의 네모 안에서 알맞은 것을 고르시오.

(1) It is stupid [for / of] you to believe what he said.

(2) You are [so / too] young to go to school.

9 위 글의 빈칸 ⓐ에 알맞은 것을 <u>모두</u> 고르면?

① Achieve   ② Achieves

③ Achieving   ④ To achieve

⑤ Achieved

10 위 글의 빈칸 ⓑ에 들어갈 말로 알맞은 것은?

① because   ② if

③ when   ④ though

⑤ while

✎ 고1 11월 응용

[9~11] 다음 글을 읽고 물음에 답하시오.

>   ⓐ   focus in a movie is easy. Directors can simply point the camera at whatever they want the audience to look at. On stage, focus is much more difficult ⓑ the audience is free to look wherever they like. The stage director must gain the audience's attention and direct their eyes to a particular spot or actor. This ⓒ through lighting, costumes, scenery, voice, and movements.

11 위 글의 빈칸 ⓒ에 들어갈 말을 괄호 안의 말을 이용하여 쓰시오.

➡ _____

(can, do)

12 다음 문장 중 어법상 <u>틀린</u> 것은?

① The library is visited by many people.

② The letter will be send to Sam by Mike.

③ We are taught English by Ms. Kim.

④ This desk was made by my father.

⑤ Hangeul was made by King Sejong.

고1 6월 응용

14 다음 글의 빈칸 ⓐ와 ⓑ에 알맞은 말이 순서대로 바르게 짝지어진 것은?

> Of the many forest plants that can cause poisoning, wild mushrooms may be among the most dangerous. This is because people sometimes confuse the poisonous and edible varieties, or they eat mushrooms without ____ⓐ____ a positive identification of the variety. Many people enjoy ____ⓑ____ wild species of mushrooms in the spring season, because they are excellent edible mushrooms and are highly prized.

① make – hunt

② to make – to hunt

③ to make – hunting

④ making – to hunt

⑤ making – hunting

13 다음 문장에서 어법상 <u>틀린</u> 부분을 찾아 바르게 고쳐 쓰시오.

(1) He was made repair the laptop.

_____ ➡ _____

(2) I was very surprised to the news.

_____ ➡ _____

고1 9월 응용

15 주어진 우리말을 영어로 옮길 때 빈칸에 알맞은 말을 쓰시오.

> 그는 숙제를 하느라 바쁘다.
>
> ➡ He is _____ _____ his homework.

Memo

정답과 해설

 정답과 해설 활용 안내

◆ 정답 박스로 빠르게 정답 확인하기!

◆ 자세한 설명을 통해 내용 확실하게 익히기!

◆ 영문 해석을 보며 내용 다시 확인하기!

정답과 해설

1일 기초 확인 문제 9쪽

1 (1) suffered (2) chatting (3) goes (4) will visit
2 (1) will meet (2) meet (3) was sleeping (4) grows up
3 (1) listens (2) are having

1 (1) 어제(yesterday)의 일이므로 과거 시제가 알맞다.
[해석] 나는 어제 두통을 앓았다.

(2) 앞에 is가 있으므로 'be동사 + 동사원형-ing' 형태의 현재 진행형이 알맞다.
[해석] 그녀는 지금 컴퓨터로 채팅을 하고 있다.

(3) 일반적인 사실이나 불변의 진리는 현재 시제로 나타낸다.
[해석] 지구는 태양 주위를 돈다.

(4) next Friday로 보아 미래 시제가 알맞다.
[해석] 나는 다음 주 금요일에 할머니를 방문할 것이다.

2 (1) 미래의 일을 나타내는 조동사 will 다음에는 동사원형을 써야 한다.
[해석] 2시간 후에 나는 그녀를 만날 것이다.

(2) 조건의 부사절에서는 현재 시제로 미래의 일을 나타낸다.
[해석] 너를 다시 만난다면 나는 매우 행복할 것이다.

(3) 과거를 나타내는 부사구가 있으므로 과거 진행형이 되어야 한다.
[해석] 그는 오늘 아침 8시에 자고 있었다.

(4) 시간의 부사절에서는 현재 시제로 미래의 일을 나타낸다.
[해석] Amy는 자라서 요리사가 될 것이다.

3 (1) 일반적인 사실이나 습관은 현재 시제로 나타낸다.
(2) '~하는 중이다'는 현재 진행형으로 나타낸다.

1일 기초 확인 문제 11쪽

4 (1) left (2) never seen (3) had left (4) since

5 (1) have practiced (2) watched (3) have ever met (4) had borrowed
6 (1) has been (2) had, left

4 (1) 현재완료는 'have/has + 과거분사' 형태로 쓴다.
[해석] 그녀는 지하철에 가방을 두고 왔다.

(2) 현재완료의 부정은 'have/has never[not] + 과거분사'의 형태로 쓴다.
[해석] 나는 전에 그를 본 적이 전혀 없다.

(3) 도착한 과거 시점 이전에 떠난 것이므로 과거완료(had + 과거분사)로 쓴다.
[해석] 내가 그곳에 도착하기 전에 수미는 떠났다.

(4) 작년 '이후로' 중국어를 계속 배워 왔다는 내용이므로 since가 알맞다.
[해석] Linda는 작년부터 중국어를 배워 왔다.

5 (1) 현재완료는 'have/has + 과거분사' 형태로 쓴다.
[해석] 그들은 오전 9시부터 춤 연습을 하고 있다.

(2) 과거의 특정 시점을 나타내는 부사 yesterday가 있으므로 현재완료 시제로 쓸 수 없다.
[해석] 나는 어제 공포 영화를 봤다.

(3) '경험'의 의미를 나타내는 현재완료로 고쳐야 한다.
[해석] Jason은 내가 만났던 이웃 중에 최고의 이웃이다.

(4) 돌려준 과거 시점 이전에 빌린 것이므로 과거완료(had + 과거분사)로 써야 한다.
[해석] 나는 Amy에게서 빌렸던 책을 돌려주었다.

6 (1) 경험을 의미하는 현재완료(have/has + 과거분사) 형태로 쓰고, '~에 가 본 적이 있다'는 have/has been to로 나타낸다.

(2) 도착한 과거의 시점보다 이전에 떠난 것이므로 과거완료(had +과거분사) 형태로 써야 한다.

1일 적중 예상 베스트 12~13쪽

1 knew, was protecting **2** ① **3** Advertising exchanges are gaining in popularity **4** ④
5 (1) Have (2) have known **6** ① **7** A slight smile was spreading over her face. **8** ⑤

1 글의 전체적인 시제가 과거이므로 시제를 일치시켜 각각 과거 시제, 과거 진행 시제가 되어야 한다.

해석 그것은 큰 돌고래의 눈이었다. 그 눈을 들여다보니, 나는 안전하다는 것을 알았다. 나는 그 동물이 수면으로 나를 들어 올려 보호해 주고 있다고 느꼈다.

2 ① 현재완료는 'have/has + 과거분사' 형태로 써야 한다.
→ written

해석 Spadler 씨께,
귀하는 불과 3주 전에 구입한 토스터가 작동하지 않는다고 저희 회사에 불평하는 편지를 쓰셨습니다. 귀하는 새 토스터나 환불을 요구하셨습니다. 그 토스터는 1년의 품질 보증 기간이 있기 때문에, 저희 회사는 귀하의 고장 난 토스터를 새 토스터로 기꺼이 교환해 드리겠습니다.

3 '~하고 있다'는 현재 진행형으로 표현한다. 현재 진행형은 'am/are/is + 동사원형-ing' 형태로 쓴다.

해석 광고 교환은 인기를 얻고 있는데, 특히 돈이 많지 않거나 대규모 영업팀이 없는 마케팅 담당자들 사이에서 그러하다.

4 과거의 일이 현재까지 영향을 미칠 때 현재완료(have/has + 과거분사)로 나타낸다.

해석 누군가가 여러분의 사과를 받아들인다고 해서 그 사람이 여러분을 온전히 용서했다는 뜻이 아니라는 사실을 알고 있어라.

5 과거부터 현재까지의 경험이나 과거부터 현재까지 계속되는 일은 현재완료(have/has + 과거분사)로 나타낸다.

해석 (1) 너는 전에 이 국수를 먹어 본 적이 있니?
(2) 나는 아주 어렸을 때부터 그를 알고 지내 왔다.

6 ① 말한 과거 시점 이전의 경험에 대해 말하므로 과거완료(had + 과거분사)로 써야 한다. has → had

해석 ① Andy는 유럽에 가 본 적이 전혀 없다고 말했다.
② 그녀는 아직 그 소설을 읽는 것을 끝내지 못했다.
③ 우리는 작년 이후로 서로를 보지 못했다.
④ 내가 극장에 도착했을 때 영화는 이미 시작했다.
⑤ Mike는 엄마가 오실 때쯤이면 숙제를 끝냈을 것이다.

7 주어는 a slight smile이고, 동사는 'was + 동사원형-ing' 형태로 과거 진행형 문장이다.

해석 그녀의 얼굴에 엷은 미소가 번지고 있었다.

8 과거 특정 시점보다 더 이전에 일어난 일은 과거완료(had + 과거분사)로 나타낸다.

해석 몇 분 후, Dorothy의 부모님이 집으로 급히 들어왔다. Samantha는 Dorothy가 그렇게 전화기를 떨어뜨린 후에 뭔가 잘못된 것이 아닌가 하고 의심했고 그녀는 Dorothy의 부모님께 전화를 걸었다.

2일 기초 확인 문제 17쪽

1 (1) must (2) cannot (3) used to (4) had better
2 (1) must (2) used to live (3) had better not go (4) may be
3 (1) cannot (2) would rather, than

1 (1) 내용상 '~해야 한다'라는 뜻의 must가 알맞다.
해석 너는 녹색불에 길을 건너야 한다.

(2) 내용상 불가능을 나타내는 cannot이 알맞다.
해석 미안하지만 나는 너와의 약속을 지킬 수가 없다.

(3) be와 함께 과거의 상태를 나타낼 때는 would를 쓸 수 없고, used to를 써야 한다.
해석 언덕 위에 학교가 있었다.

(4) 상대방에게 충고하는 내용이므로 had better가 알맞다.
해석 너는 살을 빼는 게 좋겠다.

2 (1) 내용상 강한 추측을 나타내는 must(~임에 틀림없다)로 고쳐야 자연스럽다.
해석 그들은 아주 똑같이 생겼다. 그들은 쌍둥이임에 틀림없다.

(2) 과거의 상태를 나타낼 때는 would 대신 used to를 써야 한다.
해석 그는 시골에 살았었다.

(3) had better의 부정은 had better not으로 써야 한다.
해석 너는 그 파티에 가지 않는 게 좋겠다.

(4) 이어지는 내용으로 보아 긍정의 표현이 되어야 한다.
해석 나는 그녀가 (거짓말쟁이가 아닐 →)거짓말쟁이일 수도 있다고 생각한다. 나는 그녀를 신뢰하지 않는다.

3 (1) '~일 리가 없다'는 'cannot + 동사원형'으로 나타낸다.
(2) '~하기보다는 차라리 …하겠다'는 'would rather … than ~'으로 나타낸다.

4 (1) finished (2) go (3) cannot (4) shouldn't

5 (1) cannot have been (2) must have been

(3) cannot but laugh (4) should have arrived

6 (1) should have (2) may[might] have been

---

4 (1) should have p.p.: ~했어야 했다

[해석] 너는 그 일을 끝냈어야 했다.

(2) may as well + 동사원형: ~하는 게 좋겠다

[해석] 너는 일찍 자는 게 좋겠다.

(3) cannot have p.p.: ~했을 리가 없다

[해석] Kevin은 나의 가장 친한 친구이다. 그가 내게 거짓말을 했을 리가 없다.

(4) 내용상 부정의 표현이 알맞다. shouldn't have p.p.: ~하지 말았어야 했다

[해석] 너는 필요 없는 것들을 사지 말았어야 했다.

5 (1) cannot have p.p.: ~했을 리가 없다

[해석] 그는 아팠을 리가 없다.

(2) must have p.p.: ~했음에 틀림없다

[해석] 민호는 파티에 오지 않았다. 그는 바빴음에 틀림없다.

(3) cannot but + 동사원형: ~할 수밖에 없다

[해석] 우리는 그 광경에 웃을 수밖에 없다.

(4) 내용상 긍정의 표현이 되어야 알맞다. should have p.p.: ~했어야 했다

[해석] Amy는 이미 그곳에 (도착하지 말았어야 →)도착했어야 했다. 나는 그녀가 길을 잃었을까봐 걱정된다.

6 (1) '~했어야 했다'의 의미로 과거의 일에 대한 후회를 나타낼 때 should have p.p.로 표현한다.

(2) '~했을지도 모른다'라는 의미는 may[might] have p.p.로 표현한다.

1 must have   **2** ⑤   **3** used to live in Busan when I was young   **4** ③   **5** walking → walk

6 나는 요리하기보다는 차라리 청소를 하겠다

7 should have prepared   **8** ①

---

1 '~했음에 틀림없다'라는 의미로 과거의 일에 대한 강한 추측을 나타낼 때는 must have p.p.로 표현한다.

2 ⑤ '~했을지도 모른다'라는 의미로 과거의 일에 대한 약한 추측을 나타낼 때는 may have p.p.로 표현한다.

→ have worked

[해석] 우리 대부분은 사장이 생각하기에 중요한 어떤 전문적인 정보 및 개인 정보와 더불어 인적 자원 기준에 근거하여 많은 사람을 고용해 왔다. 나는 대부분의 사람이 자신과 똑같은 사람을 고용하고 싶어 한다는 것을 알게 되었다. 이것이 과거에는 효과가 있었을지도 모르지만, 오늘날에는 상호 연결된 팀의 업무 과정으로 인해 우리는 전원이 똑같은 사람이기를 원하지 않는다.

3 '~하곤 했다, ~이었다'의 의미로 과거의 습관이나 상태를 나타낼 때 'used to + 동사원형'으로 표현한다.

[해석] 나는 어렸을 때 부산에 살았다.

4 내용상 '~해야 한다'라는 의미로 의무를 나타내는 조동사 must가 알맞다.

[해석] 어른들은 아이들에게 문법적인 규칙이 어떻게 작용하는지는 말할 것도 없고, 새로운 단어의 의미를 거의 설명하지 않는다. 대신에 그들은 대화에서 단어나 규칙을 사용하고, 무슨 말인지 알아내는 일을 아이들에게 맡긴다. 언어를 배우려면, 유아는 언어를 사용하는 맥락을 파악해야 한다. 즉, 문제는 반드시 해결돼야 한다는 것이다.

5 had better 다음에는 동사원형이 와야 한다.

[해석] 당신은 건강을 향상시키기 위해 가게로 걸어가는 것이 더 좋을 것 같다.

6 would rather + 동사원형[A] + than + 동사원형[B]: B하기보다는 차라리 A하겠다

[해석] 평균적인 사람과 비교해 보면, 자신이 만든 요리에 자부심을 가지는 사람들은 채식과 건강에 좋은 음식을 좀 더 즐기는 경향이 있다. 게다가, 이러한 집단은 평균적인 사람보다 다양한 종류의 음식을 먹는 것을 즐기는 경향이 더 많다. 반대로, "나는 요리하기보다는 차라리 청소를 하겠다."라고 말하는 사람들은 음식에 대한 이러한 광범위한 열정을 공유하지 않는다.

7 '~했어야 했다'의 의미로 과거의 일에 대한 후회나 유감을 나타낼 때 should have p.p.로 표현한다.

8 글의 흐름상 첫 번째 빈칸에는 약한 추측을 나타내는 조동사 may, 두 번째 빈칸에는 미래의 예측을 나타내는 조동사 will 이 알맞다.

[해석] 상은 보상이어야 한다 — 긍정적인 행동에 대한 반응, 어떤 일을 잘한 것에 대한 상! 그러한 상을 너무 가볍게 부여하는 것의 상존하는 위험은 아이들이 그것에 의존하고 상을 받을 것이라고 생각하는 일만을 하게 될 수도 있다는 것이다.

3일 기초 확인 문제   25쪽

1 (1) used (2) be repaired (3) of (4) must be finished
2 (1) was broken (2) are used (3) has been visited
   (4) was given to
3 (1) cannot[can't] be repaired (2) was read to

1 (1) 홀이 사용되는 것이므로 수동태인 'be동사 + 과거분사'의 형태로 쓴다.

[해석] 그 홀은 다양한 이유로 사용된다.

(2) 자전거가 수리되는 것이므로 미래 시제의 수동태인 'will be + 과거분사'의 형태로 쓴다.

[해석] 그 자전거는 나의 아버지에 의해 수리될 것이다.

(3) 4형식 문장의 직접목적어를 주어로 수동태 문장을 쓸 때, 동사가 ask인 경우에는 간접목적어였던 명사 앞에 전치사 of를 쓴다.

[해석] 선생님께서 몇몇 질문들을 나에게 물어보셨다.

(4) 조동사가 있는 경우 수동태는 '조동사 + be + 과거분사'의 형태로 쓴다.

[해석] 이 과제는 내일까지 끝마쳐야 한다.

2 (1) 수동태는 'be동사 + 과거분사'의 형태로 쓴다.

[해석] 그 꽃병은 내 남동생에 의해 깨졌다.

(2) 트럭이 사용되는 것이므로 수동태(be동사 + 과거분사)가 되어야 한다.

[해석] 트럭은 제품을 수송하기 위해 사용된다.

(3) 현재완료 수동태는 'have/has been + 과거분사'의 형태로 쓴다.

[해석] 그 도서관은 많은 학생들이 방문해 왔다.

(4) 4형식 문장의 직접목적어를 주어로 수동태 문장을 쓸 때, 동사가 give인 경우에는 간접목적어였던 명사 앞에 전치사 to를 쓴다.

[해석] 약은 약사에 의해 환자에게 주어졌다.

3 (1) 조동사가 있는 경우 수동태는 '조동사 + be + 과거분사'의 형태로 쓴다.

(2) 4형식 문장의 직접목적어를 주어로 수동태 문장을 쓸 때, 동사가 read인 경우에는 간접목적어였던 명사 앞에 전치사 to를 쓴다.

3일 기초 확인 문제   27쪽

4 (1) Dave (2) playing (3) up to by (4) at
5 (1) by → with (2) steal → to steal[stealing]
   (3) cook → to cook (4) by forward to → forward to by
6 (1) She was made angry by her friend.
   (2) He was brought up by his grandmother.

4 (1) 5형식 문장의 수동태는 'be동사 + 과거분사' 다음에 보어를 그대로 쓴다.

[해석] 그 개는 우리 가족에게 Dave라고 불렸다.

(2) 지각동사가 쓰인 5형식 문장에서 목적격보어였던 현재분사는 수동태 문장에서 그대로 쓴다.

[해석] 나는 옆집에서 기타가 연주되는 소리를 들었다.

(3) look up to는 하나의 동사 역할을 하는 동사구이므로 수동태는 be동사 다음에 looked up to로 붙여서 쓴다.

[해석] 김 선생님은 모든 학생들에게 존경받는다.

(4) be disappointed at: ~에 실망하다

[해석] 그는 그 결과에 실망했다.

5 (1) be covered with: ~으로 덮여 있다

[해석] 그 산은 형형색색의 나뭇잎으로 덮여 있다.

(2) 지각동사의 목적격보어로 쓰인 동사원형은 수동태 문장에서는 to부정사로 쓰며, 현재분사는 그대로 쓴다.

[해석] 그가 자전거를 훔치는 것이 나에 의해 목격되었다.

(3) 사역동사의 목적격보어로 쓰인 동사원형은 수동태 문장에서는 to부정사로 쓴다.

[해석] 그녀는 피자를 요리하게 됐다.

(4) look forward to(~을 기대하다)는 하나의 동사구이므로 수동태 문장에서 looked forward to로 붙여서 써야 한다.

[해석] 그 콘서트는 많은 팬들에 의해 기대되고 있다.

6 (1) 5형식 문장의 수동태는 '주어 + be동사 + 과거분사 + 보어 + by + 행위자'의 형태로 쓴다.

(2) 동사구는 하나의 동사처럼 취급하므로 '주어 + be동사 + 과거분사 + 전치사/부사 + by + 행위자'의 형태로 쓴다.

3일 적중 예상 베스트 28~29쪽

1 done　**2** ④　**3** The winners will be announced at 5:00 p.m.　**4** ⑤　**5** should submitted → should be submitted　**6** are known　**7** had been placed
8 ③

1 조동사가 있는 수동태 문장이므로 can be 뒤의 do는 과거분사 형태로 고쳐야 한다.

[해석] 무대 감독은 관객의 관심을 얻어서 그들의 시선을 특정한 장소나 배우로 향하게 해야만 한다. 이것은 조명, 의상, 배경, 목소리, 움직임을 통해 이루어질 수 있다.

2 ④ 그가 금메달을 수여받는 것이므로 수동태가 되어야 한다. → was awarded

[해석] George Boole은 1815년 영국 Lincoln에서 태어났다. Boole은 아버지의 사업이 실패한 후 16세의 나이에 학교를 그만두게 되었다. 그는 수학, 자연 철학, 그리고 여러 언어를 독학했다. 그는 독창적인 수학적 연구를 만들어 내기 시작했고 수학 분야에서 중요한 공헌을 했다. 그러한 공헌으로 1844년 그는 Royal Society에서 수학으로 금메달을 받았다.

3 'will be + 과거분사' 형태의 미래 시제 수동태 문장으로 완성한다.

[해석] 우승자는 현장에서 당일 오후 5시에 발표될 것입니다.

4 주어가 행위의 대상이므로 수동태가 되어야 하고, 내용상 현재완료 시제가 알맞다.

[해석] 여러분은 아마도 '첫인상이 매우 중요하다'라는 표현을 들어본 적이 있을 것이다. 삶은 실제로 많은 사람들에게 좋은 첫인상을 만들

두 번째 기회를 주지 않는다. 누군가가 또 다른 개인을 평가하는 데 단지 몇 초만 걸린다는 것이 밝혀져 왔다.

5 비디오가 제출되는 것이므로 수동태가 되어야 하고, 조동사 should가 있으므로 should be submitted로 고쳐야 한다.

[해석] 멋진 상을 받으려면 비디오를 3월 13일부터 4월 6일 자정까지 제출해야 합니다.

6 시스템들이 알려지는 것이므로 수동태인 are known이 알맞다.

[해석] 새로운 기술은 새로운 상호 작용과 문화적 규칙을 만든다. TV 시청을 부추기는 방법으로 이제 소셜 텔레비전 시스템은 서로 다른 장소에 있는 TV 시청자들 사이의 사회적 상호 작용을 가능하게 한다. 이런 시스템들은 TV를 이용하는 친구들 사이에 더 큰 유대감을 만드는 것으로 알려져 있다.

7 장애물이 놓여있는 것이므로 수동태가 되어야 하고, 알았던 과거의 시점보다 더 이전의 일이므로 과거완료 시제가 되어야 한다. 따라서 과거완료 수동태인 'had been + 과거분사'의 형태로 써야 한다.

8 언론이 소유되고, 운영되는 것이므로 둘 다 수동태가 되어야 하며, 두 번째 빈칸은 앞에 be동사 are를 생략하고 과거분사만 쓴 것이다.

[해석] 스웨덴, 네덜란드, 카자흐스탄과 같은 나라에서는 언론이 공공에 의해 소유되지만 정부에 의해 운영된다.

4일 기초 확인 문제 33쪽

1 (1) To get (2) to drink (3) to eat with (4) how
2 (1) to complete[completing] (2) to live in
　(3) something interesting to do (4) is
3 (1) where to go (2) to sit on

1 (1) 주어 역할을 하는 to부정사가 알맞다.

[해석] 충분한 잠을 자는 것이 필요하다.

(2) something을 수식하는 형용사의 역할을 하는 to부정사가 알맞다.

[해석] 나는 목이 마르다. 나는 마실 것이 필요하다.

(3) to부정사의 수식을 받는 명사가 전치사의 목적어일 때 to 부정사 뒤에 전치사를 써야 한다.

[해석] 그는 가지고 먹을 숟가락이 필요하다.

(4) how + to부정사: 어떻게 ~할지, ~하는 방법

[해석] 그녀는 그 수학 문제를 어떻게 푸는지 모른다.

2 (1) 보어 역할을 하는 to부정사나 동명사 형태로 써야 한다.

[해석] 그의 목표는 임무를 완료하는 것이다.

(2) to부정사의 수식을 받는 명사가 전치사의 목적어일 때 to 부정사 뒤에 전치사를 써야 한다.

[해석] 나는 살 집을 빌리고 싶다.

(3) 'something + 형용사 + to부정사'의 어순으로 써야 한다.

[해석] 그녀는 할 만한 재미있는 무언가를 찾고 있다.

(4) to부정사(구) 주어는 단수 취급한다.

[해석] 플라스틱 병을 재활용하는 것은 매우 중요하다.

3 (1) '어디로 ~할지'는 'where + to부정사'로 표현한다.

(2) to부정사로 chair를 뒤에서 꾸며준다. 이때 a chair가 전치사 on의 목적어이므로 to부정사 뒤에 on을 쓰는 것에 주의한다.

4^일 기초 확인 문제

35쪽

4 (1) too (2) for (3) to buy (4) it

5 (1) that → it (2) for → of (3) That → It

(4) to read difficult → difficult to read

6 (1) to read (2) enough to drive

4 (1) too + 형용사/부사 + to부정사: 너무 ~해서 …할 수 없다

[해석] 너무 추워서 외출할 수가 없다.

(2) 일반적으로 to부정사의 의미상 주어는 'for + 목적격'으로 쓴다.

[해석] 나에게 외국어를 배우는 것은 쉽지 않다.

(3) '목적'을 의미하는 부사적 용법의 to부정사가 알맞다.

[해석] 나는 책을 몇 권 사기 위해서 서점에 갈 것이다.

(4) to draw 이하가 진목적어이므로 가목적어 it이 알맞다.

[해석] 그녀는 자신의 자화상을 그리는 것이 어렵다는 것을 알았다.

5 (1) to get up 이하가 진목적어이므로 that 대신 가목적어 it 을 써야 한다.

[해석] 그는 매일 아침 6시에 일어나는 것을 규칙으로 정했다.

(2) 사람의 성격을 나타내는 형용사 kind가 쓰였으므로 의미상 주어는 'of + 목적격'으로 써야 한다.

[해석] 나를 도와주다니 너는 아주 친절하구나.

(3) to predict the future가 진주어이고, 가주어는 It을 써야한다.

[해석] 미래를 예측하는 것은 불가능하다.

(4) 부사적 용법의 to부정사는 형용사를 뒤에서 수식한다.

[해석] 그의 글씨체는 읽기가 어렵다.

6 (1) 목적을 의미하는 부사적 용법의 to부정사로 쓴다.

(2) '~할 정도로 충분히 …한/하게'는 '형용사/부사 + enough + to부정사'의 형태로 쓴다.

4^일 적중 예상 베스트

36~37쪽

1 to add **2** ⑤ **3** we have acquired the ability to do amazing things **4** ② **5** of → for **6** to make, enough to survive **7** to operate **8** ⑤

1 '더하기 위해서'라는 의미가 되어야 자연스러우므로 부사적 용법의 to부정사로 고쳐야 한다.

[해석] 레오나르도 다빈치는 혼자서 스케치를 그렸지만, 더 세밀한 세부 묘사를 더하기 위해서 다른 사람들과 협업했다.

2 ⑤ 목적(~하기 위해서)을 의미하는 부사적 용법의 to부정사로 고쳐야 한다. → to see

[해석] 한 예로, 먹이로 펭귄들을 먹는 것을 좋아하는 표범물개가 있다. Adéie 펭귄은 무엇을 할까? 펭귄의 해결책은 대기 전술을 펼치는 것이다. 그들은 자기들 중 한 마리가 포기하고 뛰어들 때까지 물가에서 기다리고, 기다리고 또 기다린다. 그것이 일어나는 순간, 나머지 펭귄들은 다음에 무슨 일이 일어날지를 보기 위해서 기대감을 갖고 지켜본다. 만약 그 선두 주자가 살아남으면, 다른 모두가 그대로 따를 것이다. 만약 그것이 죽는다면, 그들은 돌아설 것이다.

3 '우리는 놀라운 것을 할 수 있는 능력을 습득하였다'라는 의미가 되도록 배열한다. 형용사적 용법의 to부정사구인 to do amazing things가 the ability를 뒤에서 수식한다.

4 '사진을 찍는 방법'이라는 의미가 되어야 자연스럽다. '~하는 방법, 어떻게 ~할지'는 'how + to부정사'로 표현한다.

[해석] 여러분은 자신의 스마트폰이나 태블릿을 사용하여 사진을 찍는 방법을 배우고 싶었던 적이 있었나요? 그러면 오셔서 우리의 흥미로운 Photography Walks Program에 참가하세요. 모든 연령과 모든 기술 수준의 사람들을 환영합니다!

5 it은 가주어, to coexist가 진주어이다. these tribes는 to부정사의 의미상 주어이므로 'for + 목적격'으로 써야 한다.

[해석] '우리와 그들'이라는 개념이 남아 있는 세계에서 이러한 부족들이 공존하는 것이 가능할까?

6 첫 번째는 '만들기 위해서'라는 의미로 목적을 나타내는 to부정사가 알맞다. 두 번째는 '~할 정도로 충분히 …한/하게'의 의미를 나타내는 '형용사/부사 + enough + to부정사' 구문이다.

[해석] 패스트 패션 상품은 계산대에서 당신에게 많은 비용을 들게 하지 않을지는 모르지만, 그것들은 심각한 대가를 수반한다: 일부는 아직 어린아이들인, 수천만의 개발도상국 사람들이 흔히 노동착취공장이라고 이름 붙여진 종류의 공장에서 그것들을 만들기 위해 오랜 시간 동안 위험한 환경에서 일한다. 대부분의 의류 작업자들은 간신히 생존할 정도의 임금을 받는다.

7 목적(~하기 위해)을 의미하는 부사적 용법의 to부정사로 쓰는 것이 알맞다.

[해석] 무인 자동차의 가장 좋은 점은 사람들이 그것을 조작하기 위해 면허가 필요 없을 것이라는 점이다.

8 to부정사구를 뒤로 보내고 주어 자리에 가주어 it을 쓴 문장이다.

[해석] 그리스에서는 지형이 인간 관계에 영향을 미쳤다. 그 땅이 이동을 매우 어렵게 만들었기 때문에 손님과 주인의 관계는 중요하게 여겨졌다. 어떤 낯선 이가, 가난한 사람이라도, 문 앞에 나타나면 선한 주인이 되어 그에게 거처를 주고 그와 음식을 나누는 것이 의무였다.

5일 기초 확인 문제   41쪽

1 (1) Making (2) taking (3) his (4) not coming
2 (1) watch → watching (2) I → my[me] (3) are → is
  (4) have be → having been
3 (1) watching movies (2) not[never] smoking

---

1 (1) 주어 역할을 하는 동명사가 알맞다.
[해석] 새로운 친구를 사귀는 것은 쉽지 않을 수도 있다.

(2) 전치사의 목적어이므로 동명사가 알맞다.
[해석] 그는 사진을 찍는 것에 흥미가 없다.

(3) 동명사의 의미상 주어는 소유격이나 목적격으로 쓴다.
[해석] 나는 그가 내 제안을 받아들일 것을 확신한다.

(4) 동명사의 부정은 'not[never] + 동명사'의 형태로 쓴다.
[해석] 제시간에 오지 못해 죄송합니다.

2 (1) watch는 enjoy의 목적어로 동명사 형태로 써야 한다.
[해석] 나는 코미디 영화를 보는 것을 즐긴다.

(2) 동명사의 의미상 주어는 소유격이나 목적격으로 쓴다.
[해석] 우리 어머니는 내가 시험에 합격할 것을 확신하신다.

(3) 동명사(구) 주어는 단수 취급한다.
[해석] 비타민을 먹는 것은 건강에 좋다.

(4) 늦은 것은 문장의 동사(apoligized)보다 이전의 일이므로 완료동명사로 써야 한다. 완료동명사는 'having + p.p.'로 나타낸다.
[해석] 나는 늦었던 것에 대해 사과했다.

3 (1) 보어 역할을 하는 동명사를 이용하여 쓴다.
(2) 동명사의 부정은 동명사 앞에 not[never]을 쓴다.

5일 기초 확인 문제   43쪽

4 (1) opening (2) to grow (3) arriving (4) to take
5 (1) to do → doing (2) go → going (3) wear → to wear
  (4) worry → worrying
6 (1) busy studying (2) from playing

4 (1) mind는 목적어로 동명사를 쓴다.
[해석] 제가 창문을 열어도 될까요?

(2) decide는 목적어로 to부정사를 쓴다.
[해석] 그는 머리를 기르기로 결정했다.

(3) on -ing: ~하자마자
[해석] 집에 도착하자마자 그녀는 컴퓨터를 켰다.

(4) '(앞으로) ~할 것을 잊다'는 'forget + to부정사'로 쓴다.

[해석] 제 시간에 약을 먹는 것을 잊지 마라.

5 (1) finish는 목적어로 동명사를 쓴다.

[해석] 그녀는 숙제하는 것을 끝냈다.

(2) be used to -ing: ~하는 데 익숙하다

[해석] 그는 늦게 자는 데 익숙하다.

(3) '(앞으로) ~할 것을 기억하다'라는 의미이므로 'remember + to부정사'로 쓴다.

[해석] 나갈 때 마스크를 쓰는 것을 기억해라.

(4) It is no use -ing: ~해도 소용없다

[해석] 당신이 한 일에 대해 걱정해도 소용없다.

6 (1) be busy -ing: ~하느라 바쁘다
(2) keep ... from -ing: …가 ~하는 것을 막다

5일 ▽ 적중 예상 베스트   44~45쪽

1 hunting   **2** ②   **3** being virtuous means finding a balance   **4** ④   **5** bowing → to bow   **6** ⑤   **7** ③
8 developing, conditioning

1 enjoy는 동명사를 목적어로 취하는 동사이다.

[해석] 야생 버섯 종들은 훌륭한 식용 버섯이고 매우 귀하게 여겨지기 때문에 많은 사람들이 봄에 야생 버섯 종을 찾아다니는 것을 즐긴다.

2 ② involve는 동명사를 목적어로 취하는 동사이다.
→ recognizing

[해석] 지적 겸손이란 여러분이 인간이고 여러분이 가진 지식에 한계가 있다는 것을 인정하는 것이다. 여러분이 인지적이고 개인적인 편견을 가지고 있고, 여러분의 두뇌가 자신의 의견과 관점이 다른 것보다 선호되는 방식으로 사물을 바라보는 경향이 있다고 인정하는 것을 포함한다. 이것은 더 객관적이고 정보에 근거한 결정들을 내리기 위해 그러한 편견들을 극복하고자 기꺼이 노력하는 것이다.

3 동명사는 주어, 동사의 목적어 역할을 하므로 that절의 주어와 동사 means의 목적어로 각각 being과 finding을 쓴다.

4 전치사 without의 목적어 자리이므로 동명사 형태가 알맞다.

[해석] 우리는 우리가 알고 있는 사람들에게 연락 없이 오랜 기간의 시간을 보내는 경향이 있다. 그러다 우리는 생겨 버린 거리감을 갑자기 알아차리고 허둥지둥 수리를 한다.

5 remember + to부정사: (앞으로) ~할 것을 기억하다
remember + 동명사: (과거에) ~한 것을 기억하다

[해석] Fred가 자기를 초대한 독일인들을 처음 만났을 때 그는 굳게 악수를 했고, 고개를 약간 숙여 인사하는 것까지도 기억했는데, 그렇게 하는 것이 독일의 풍습이었다.

6 ①~④는 주어, 보어, 목적어 역할을 하는 동명사이고, ⑤는 현재진행형을 만드는 현재분사이다.

[해석] ① 그녀는 젓가락을 사용하는 데 익숙하지 않다.
② 내 취미는 풍경 사진을 찍는 것이다.
③ 아침 식사를 거르는 것은 건강에 좋지 않다.
④ 그는 자기 방 청소를 막 끝냈다.
⑤ Eric은 친구들을 위해 쿠키를 굽고 있다.

7 ③ like가 전치사이므로 목적어로 to부정사가 아니라 동명사를 써야 한다. → playing

[해석] 당신은 행복의 조건을 살 수 있지만, 행복은 살 수 없다. 그것은 테니스를 치는 것과 같다. 당신은 가게에서 테니스를 치는 즐거움을 살 수는 없다. 당신은 공과 라켓을 살 수 있지만, 경기를 하는 즐거움을 살 수는 없다. 테니스의 즐거움을 경험하기 위해, 당신은 (테니스를) 치는 법을 배우고, 스스로 연습해야만 한다.

8 각각 전치사 on과 of의 목적어 자리이므로 둘 다 동명사 형태가 알맞다. to부정사는 전치사의 목적어로 쓸 수 없다.

[해석] 야구를 위한 훈련과 몸만들기는 체력, 힘, 속도, 신속함, 유연성을 신장하는 데 초점을 둔다. 1980년대 이전에 근력 운동은 야구 선수를 위한 몸만들기의 중요한 부분이 아니었다. 사람들은 야구를 근력보다는 기술과 테크닉의 경기로 보았고, 대부분의 감독과 코치는 근력 운동을 야구 선수가 아닌 보디빌더를 위한 것으로 여겼다.

6일 ▽ 누구나 100점 테스트 1회   46~47쪽

1 ⑤   **2** visiting   **3** may have worked
4 was awarded   **5** ⑤   **6** there have been numerous times   **7** ②   **8** must be made

[해석] 보통 어떤 공원에 산책이나 운동을 하러 간다고 하자. 어쩌면 오늘 여러분은 다른 공원을 선택하는 편이 좋겠다. 왜? 글쎄, 누가 알겠는가? 어쩌면 여러분이 다른 공원에서 다른 기운과 연결되는 것이 필요하기 때문일 것이다. 어쩌면 여러분은 거기서 전에 만난 적이 없는 사람들을 만나게 될 것이다. 여러분은 그저 다른 공원을 방문함으로써 새로운 가장 친한 친구를 사귈 수 있다. 여러분이 편안함을 느끼는 지대 밖으로 나가고 나서야 비로소 자신에게 어떤 대단한 일이 일어날지 안다.

1 뒤에 before가 있으므로 현재 시제나 미래 시제는 쓸 수 없고, 경험을 나타내는 현재완료(have + 과거분사)가 알맞다.

2 전치사의 목적어이므로 동명사 형태로 써야 한다.

3 '~했을지도 모른다'의 의미로 과거의 일에 대한 약한 추측을 나타낼 때는 may have p.p.로 쓴다.
[해석] 이것이 과거에는 효과가 있었을지도 모르지만, 오늘날에는 상호 연결된 팀의 업무 과정으로 인해 우리는 전원이 똑같은 사람이기를 원치 않는다.

4 주어가 행위의 대상이므로 수동태가 되어야 한다. 과거 시제의 수동태는 'was/were + 과거분사'로 나타낸다.

5 경험을 나타내는 현재완료 부정은 'have/has + not[never] + 과거분사'의 형태로 쓴다.

[6-7] [해석] 역사를 빠르게 살펴보면 인간은 오늘날 대부분의 발전된 세상에서 즐기는 음식의 풍부함을 항상 가졌던 것은 아니다. 사실, 역사적으로 음식이 꽤 부족했던 수많은 시기가 있었다. 그 결과, 사람들은 다음번 식사의 가능성이 확실치 않기 때문에 음식이 있을 때 더 많이 먹곤 했다.

6 '~가 있었다'의 의미로 경험을 나타내는 현재완료(have/has + 과거분사) 구문이다.

7 '~하곤 했다'의 의미로 과거의 습관을 나타내는 조동사로 used to와 would를 쓸 수 있다.

8 반품이 행해지는 것으로 주어가 행위의 대상이므로 수동태가 되어야 한다. 조동사가 있는 경우 수동태는 '조동사 + be + 과거분사'의 형태로 쓴다.
[해석] 장난감과 선물 창고 세일
Wilson Square에서 4월 3일부터 4월 16일까지

· 수요일 ~ 금요일: 오전 10시 ~ 오후 6시
· 토요일과 일요일: 오전 11시 ~ 오후 5시
· 월요일과 화요일에는 운영되지 않음
· 반품은 구입 후 1주일 이내에 하셔야 합니다.
· 더 많은 정보를 원하시면 www.poptoy.com을 방문하십시오.

6일 ▽ 누구나 100점 테스트 **2**회   48~49쪽

1 (1) means (2) means   **2** (1) with (2) want
3 find → finding   **4** that → it   **5** to support
6 I am writing this letter to request permission
7 ③   **8** ①
9 it will be impossible for you to win the argument

1 to부정사(구) 주어는 단수 취급한다.
[해석] 위험을 무릅쓴다는 것은 언젠가 성공할 것이라는 것을 의미하지만 위험을 전혀 무릅쓰지 않는 것은 결코 성공하지 못할 것임을 의미한다.

2 (1) be filled with: ~으로 가득 차다
(2) 조건의 부사절에서는 현재 시제로 미래의 의미를 나타낸다.
[해석] 인생은 많은 위험과 도전으로 가득 차 있으며, 이 모든 것에서 벗어나기를 원하면 인생이라는 경주에서 뒤처지게 될 것이다.

3 전치사 for의 목적어로 동명사를 써야 한다.
[해석] 우주의 불가사의한 것들에 관한 답을 찾는 많은 방법이 있다.

[4-5] [해석] 작은 마을에서는 똑같은 직공이 의자와 문과 탁자를 만들고, 흔히 바로 그 사람이 집을 짓는다. 그리고 물론 여러 직종에 종사하는 사람이 그 직종 모두에 능숙하기는 불가능하다. 반면에 큰 도시에서는 많은 사람이 각 직종을 필요로 하기 때문에, 직종 하나만으로도, 흔히 온전한 직종에 훨씬 미치지 못하는 것으로도 한 사람을 먹고 살게 하기에 충분하다.

4 to be 이하가 진주어이므로 가주어로 that이 아니라 it을 써야 한다.

5 '~할 정도로 충분한'이라는 뜻이 되도록, 형용사 enough를 수식하는 부사적 용법의 to부정사로 쓴다.

[6-7] 해석 Anderson 씨에게

Jeperson 고등학교를 대표해서, 저는 귀 공장에서 산업 현장견학을 할 수 있도록 허가를 요청하기 위해 이 편지를 쓰고 있습니다. 저희는 학생들에게 산업 절차와 관련해 몇 가지 실제적인 교육을 하기를 희망합니다. 물론, 저희는 귀사의 승인과 협조가 필요합니다. 두 명의 선생님이 35명의 학생들과 동행할 것입니다. 저희는 이 현장 견학을 위해 단 하루를 예정하고 있습니다. 협조해주시면 정말 감사하겠습니다.

Ray Feynman 드림

6 현재 진행형은 'be동사(am/are/is) + 현재분사'로 쓰고, '~하기 위해'는 to부정사로 쓸 수 있다.

7 주어인 35 students가 '동반하다(accompany)'라는 행위의 대상이므로 수동태로 쓴다. 조동사가 있는 경우 수동태는 '조동사 + be + 과거분사'의 형태로 쓴다.

[8-9] 해석 기억해야 할 점은 때로는 논쟁에서 상대방은 여러분을 화나게 하려고 한다는 것이다. 그들은 여러분을 화나게 하기 위해 의도적으로 고안된 말을 하고 있을지도 모른다. 그들은 만약 자신들이 여러분의 침착함을 잃게 한다면 여러분은 어리석게 들리는 말을 할 것이며, 그저 화를 내고 그러면 여러분이 그 논쟁에서 이기는 것은 불가능할 것이란 것을 안다. 그러니 속아 넘어가지 마라.

8 ⓐ는 앞의 명사를 수식하는 to부정사의 형용사적 용법으로 쓰였다. ① 형용사적 용법 ② 명사적 용법 ③ 부사적 용법 ④ 부사적 용법 ⑤ 명사적 용법

해석 ① 나는 너에게 말할 것이 있다.

② 내 꿈은 가수가 되는 것이다.

③ 이 모자는 쓰기에 편하다.

④ 나는 그를 다시 보게 되어 행복했다.

⑤ 그녀는 극장에 가는 것에 동의했다.

9 '가주어(it) + 동사 + 의미상 주어(for + 목적격) + 진주어(to부정사구)'의 순서로 문장을 완성한다.

6일 **창의·융합·서술·코딩** **테스트 1**회 **50~51쪽**

Ⓐ **1** has been writing the letter

2 arrived, had already started

Ⓑ **1** She enjoys watching horror movies.

2 He was made to read the book by his father.

Ⓒ **1** I'll never forget seeing it.

2 I'm not used to using this oven.

Ⓓ **1** too, for, to read **2** should have studied

Ⓐ **1** 과거부터 현재까지 계속 진행 중인 일은 현재완료 진행형(have/has been + 현재분사)으로 나타낸다.

해석 그녀는 오늘 아침에 편지를 쓰기 시작했다.

그녀는 아직 그것을 쓰고 있다.

→ 그녀는 오늘 아침부터 편지를 쓰고 있다.

2 과거 특정 시점보다 이전에 일어난 일은 과거완료(had + 과거분사)로 나타낸다.

해석 나는 경기장에 도착했다.

그 전에 야구 경기가 이미 시작했다.

→ 내가 경기장에 도착했을 때 야구 경기가 이미 시작했다.

Ⓑ **1** enjoy는 동명사를 목적어로 취하는 동사이다.

해석 그녀는 공포 영화 보는 것을 즐긴다.

2 5형식 문장의 동사가 사역동사일 때 목적격 보어인 동사원형은 수동태 문장에서 to부정사로 바뀐다.

해석 그는 아버지에 의해 그 책을 읽게 되었다.

Ⓒ **1** 과거에 했던 것을 잊지 못한다는 의미이므로 'forget + 동명사'로 써야 한다.

해석 A: 인도 여행은 어땠니?

B: 멋졌어, 그리고 나는 특히 타지마할이 좋았어. 나는 그것을 본 것을 잊지 못할 거야.

2 'be used to + 동사원형'은 '~하는 데 사용되다'라는 뜻으로 대화의 내용상 어울리지 않는다. '~하는 데 익숙하다'라는 뜻의 'be used to + 동명사'가 되어야 한다.

해석 A: 나 좀 도와 줄래? 나는 이 오븐을 사용하는 데 익숙하지 않아.

B: 아, 물론이지.

Ⓓ **1** '너무 ~해서 …할 수 없다'는 'too + 형용사/부사 + to부정사'로 나타내고, to부정사의 의미상 주어는 'for + 목적격'으로 나타낸다.

2 '~했어야 했다'의 의미로 과거의 일에 대한 후회나 유감을 나타낼 때 should have p.p.로 쓴다.

6일 창의·융합·서술·코딩 테스트 2회 52~53쪽

Ⓐ **1** is **2** be handed **3** too

Ⓑ I think no one is smart enough to solve the problem in our class.

Ⓒ Down **1** been **2** completed **4** learned **6** too

Across **3** climbing **5** rather **7** should

Ⓐ **1** 동명사 주어는 단수 취급한다.

해석 실수를 하는 것은 아무것도 하지 않는 것보다 낫다.

2 주어가 행위의 대상이므로 수동태가 되어야 한다. 조동사가 쓰인 경우 수동태는 '조동사 + be + 과거분사'로 쓴다.

해석 그 보고서는 수요일까지 제출되어야 한다.

3 too + 형용사/부사 + to부정사: 너무 ~해서 …할 수 없다

해석 그 코트는 너무 꼭 끼어서 내가 입을 수 없다.

Ⓑ **1** 형용사/부사 + enough + to부정사: ~할 정도로 충분히 …한/하게

해석 Andy: 그 수학 문제는 너무 어려워서 내가 풀 수가 없어.
Emily: 내 생각에는 우리 반에 그 문제를 풀 정도로 똑똑한 사람은 없는 것 같아.

Ⓒ Down

1 have/has been to ~: ~에 가 본 적이 있다

2 미래완료 수동태: will have been + 과거분사

4 현재완료(계속): have/has + 과거분사

6 too + 형용사/부사 + to부정사: 너무 ~해서 …할 수 없다

Across

3 보어 역할을 하는 동명사 형태가 알맞다. 한 단어로 써야 하므로 to부정사는 쓸 수 없다.

5 would rather + 동사원형 + than + 동사원형: ~하기보다는 차라리 …하겠다

7 should have p.p.: ~했어야 했다

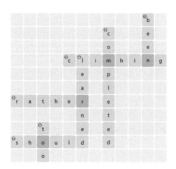

7일 학교 시험 기본 테스트 1회 54~57쪽

1 Can the results be repeated? **2** ① **3** ③ **4** ⑤
5 ② **6** (1) what to do (2) must have made **7** ③
8 ④ **9** (1) had broken (2) reading **10** ①
11 had chosen **12** ⑤ **13** ④ **14** ③
15 they have been exposed repeatedly to "background noise"
16 has been playing the guitar

1 조동사가 쓰인 수동태의 의문문은 '조동사 + 주어 + be + 과거분사?'의 어순으로 쓴다.

해석 다른 과학자의 실험 결과물을 읽을 때, 그 실험에 대해 비판적으로 생각하라. 당신 자신에게 물어라: 관찰들이 실험 도중에 혹은 후에 기록되었나? 결론이 합리적인가? 그 결과들은 반복될 수 있는가? 정보의 출처는 신뢰할 만한가?

2 ①은 목적어 역할을 하는 명사적 용법의 to부정사이다. 나머지는 모두 목적을 의미하는 부사적 용법의 to부정사이다.

해석 ① 나는 박물관에 갈 계획이다.
② Amy는 경기에 이기기 위해 최선을 다했다.
③ 그녀는 시험에 통과하기 위해 열심히 공부했다.
④ 그는 나를 도와주기 위해 손을 뻗었다.
⑤ 많은 사람들이 그의 마술쇼를 보기 위해 왔다.

[3-4] 해석 긍정적이든 부정적이든, 우리의 부모와 가족은 우리에게 강력한 영향을 미친다. 하지만 특히 우리가 어렸을 때, 훨씬 더 강한 영향을 주는 것은 우리의 친구들이다. 가족의 범위를 넘어서 우리의 정체성을 확장하는 방법으로 우리는 친구들을 선택한다. 그 결과, 친구와 다른 사회 집단의 기준과 기대에 부합해야 한다는 압박감이 거세질 가능성이 있다.

3 빈칸 뒤에 이어지는 내용으로 보아, 우리가 어렸을 때 훨씬 더 강한 영향을 주는 것은 '친구들'임을 알 수 있다.

해석 ① 부모님 ② 가족 ③ 친구들 ④ 형제자매들 ⑤ 이웃들

4 ⓑ 전치사 of의 목적어이므로 동명사가 알맞다.
ⓒ pressure를 꾸며주는 형용사적 용법의 to부정사가 알맞다.

5 ② 동명사 주어는 단수 취급하므로 keeps로 고쳐야 한다.

해석 관심이 다른 친구들을 갖는 것은 삶을 흥미롭게 하는데, 그냥 서로에게서 배울 수 있는 것에 대해 생각해 보라.

6 (1) '무엇을 ~할지'는 'what + to부정사'로 표현한다.

(2) '~했음에 틀림없다'는 must have p.p.로 나타낸다.

[7-8] 해석 인류 역사의 시작부터, 사람들은 세상과 그 세상 속에 있는 그들의 장소에 관하여 질문해 왔다. 초기 사회에 있어, 가장 기초적 의문에 대한 대답은 종교에서 발견되었다. 그러나 몇몇 사람들은 그 전통적인 종교적 설명이 충분하지 않다는 것을 알게 되었고, 이성에 근거하여 답을 찾기 시작하였다.

7 ⓒ '대답이 발견되었다'라는 의미로 주어가 행위의 대상이므로 수동태가 되어야 한다. → were found

8 빈칸 뒤에서 앞의 내용과 상반되는 내용이 이어지고 있다.

해석 ① 그 결과 ② 그러므로 ③ 예를 들면 ④ 하지만 ⑤ 게다가

9 (1) 발견한 과거의 시점 이전에 일어난 일이므로 과거완료 (had + 과거분사)가 알맞다.

해석 그녀는 누군가 그녀의 집에 침입했던 것을 발견했다.

(2) be worth -ing: ~할 만한 가치가 있다

해석 이 책은 읽을 만한 가치가 있다.

10 ② use → using ③ to drink → drink (than 뒤에 중복되는 drink가 생략된 표현)

④ to hurry → hurry ⑤ feeling → felt

해석 ① 너는 더 일찍 일어났어야 했다.

② 그는 젓가락을 사용하는 데 익숙하지 않다.

③ 나는 주스보다는 차라리 우유를 마시겠다.

④ 너는 늦지 않으려면 서두르는 게 좋겠다.

⑤ 그녀는 그 결과에 실망했을지도 모른다.

11 도착한 과거 시점보다 이전에 선택한 것이므로 과거완료(had + 과거분사)로 고쳐야 한다.

해석 두 번째 제자는 피곤함을 느끼고 그가 선택했던 길을 후회하며 그 길의 끝에 도착했다.

12 decide는 to부정사를 목적어로 취하고, 시제는 글의 흐름상 현재완료(have + 과거분사)가 알맞다.

해석 "저는 오늘 큰 교훈을 배웠어요."라고 Dorothy는 말했다. 그녀의 부모님은 그녀가 불이 난 것에 대해 뭐라고 말할 것이라고 예상했다. 하지만 그녀는 다른 것에 관해 말했다. "저도 엄마와 아빠처럼 친절한 말을 더 많이 쓰기로 했어요." Dorothy는 꽤나 욱하는 성질이 있었기 때문에 그녀의 부모님은 매우 감사함을 느꼈다.

[13-14] 해석 인간과 동물의 욕망을 비교할 때 우리는 많은 특별한 차이점을 발견한다. 동물은 위장으로, 사람은 뇌로 먹는 경향이 있다. 동물은 배가 부르면 먹는 것을 멈추지만, 인간은 언제 멈춰야 할지 결코 확신하지 못한다. 인간은 배에 담을 수 있는 만큼 먹었을 때, 그들은 여전히 허전함을 느끼고 추가적인 만족감에 대한 충동을 느낀다.

13 stop은 목적어로 동명사를 취한다.

14 내용상 '언제 멈춰야 할지 확신하지 못한다'라는 의미가 되어야 자연스럽다. when + to부정사: 언제 ~할지

15 '노출되어 왔다'는 현재완료 수동태(have been + 과거분사)로 표현할 수 있다.

해석 십 대들은 TV나 라디오를 켜둔 채로 공부를 더 잘할 수 있다고 주장한다. 일부 전문가는 실제로 그들의 견해를 지지한다. 그들은 많은 십 대들이 어린 시절부터 '배경 소음'에 반복적으로 노출되어 왔기 때문에 전혀 이상적이지 않은 상황에서 실제로 생산적으로 공부할 수 있다고 주장한다.

16 과거부터 현재까지 계속 진행 중이므로 현재완료 진행형 (have/has been + 현재분사)으로 쓸 수 있다.

해석 민호는 두 시간 전에 기타를 연주하기 시작했다. 그는 여전히 기타를 연주하고 있다.

→ 민호는 두 시간째 기타를 연주하고 있다.

7일 학교 시험 기본 테스트 2회   58~61쪽

1 ⑤ **2** ④ **3** ②

4 never had seen → had never seen

5 ⑤ **6** ④

7 (1) must be accompanied (2) had better walk

8 (1) of (2) too   **9** ③, ④   **10** ①   **11** can be done

12 ②   **13** (1) repair → to repair (2) to → at   **14** ⑤

15 busy doing

1 ⑤ 과거를 나타내는 부사 yesterday가 있으므로 현재완료 시제를 쓸 수 없다. → finished

해석 ① 나는 파도타기를 해 본 적이 없다.

② 너는 펭귄을 본 적이 있니?

③ 그녀는 중국에 가 본 적이 없다.
④ 그는 2시간 동안 요리를 하고 있다.
⑤ 나는 어제 그 프로젝트를 끝냈다.

[2-4] 해석 인상주의 화가의 그림은 아마도 가장 인기가 있다. 그것은 보는 사람에게 그 형상을 이해하기 위해 열심히 노력할 것을 요구하지 않는 쉽게 이해되는 예술이다. 인상주의는 보기에 '편하고', 여름의 장면과 밝은 색깔은 눈길을 끈다. 그러나 이 새로운 그림 방식은 그것이 만들어지는 방법뿐 아니라, 보이는 것에 있어서도 대중들에게 도전적이었다는 것을 기억하는 것이 중요하다. 그들은 이전에 그렇게 '형식에 구애받지 않는' 그림을 본 적이 결코 없었다.

2 ⓐ는 to부정사의 부사적 용법이다.
①, ⑤: 명사적 용법 ②, ③: 형용사적 용법 ④: 부사적 용법
해석 ① 그녀는 개를 기르기로 결정했다.
② 나는 너에게 말할 것이 있다.
③ 나에게는 너의 스트레스를 풀 수 있는 몇 가지 팁이 있다.
④ 나는 너의 이메일을 받고서 아주 기뻤다.
⑤ 가장 좋은 것은 선생님의 말씀을 잘 듣는 것이다.

3 'It(가주어) is ... to부정사(진주어)' 구문으로 쓸 수 있다.

4 과거완료 부정은 'had not[never] + 과거분사'의 형태로 쓴다.

[5-6] 해석 테크니컬 리허설(기술 연습) 후에, 극단은 총감독, 기술 감독들, 그리고 무대 감독을 만나서 리허설을 검토할 것이다. 보통은 공연에 대한 온갖 좋은 것들에 관한 의견이 있을 것이다. 개인은 단원들과 극단 전체에 대해 주어지는 긍정적인 의견뿐만 아니라, 그들의 개인적인 기여에 대한 긍정적인 의견도 마음에 새기고 글로 적어놓아야 한다. 긍정적인 성과를 바탕으로 하면 긴장감을 줄일 수 있다.

5 ⓔ 주어 역할을 해야 하므로 동명사 또는 to부정사로 써야 한다. → Building[To build]

6 as well as 앞 부분에서 those와 호응하는 말을 찾는다. 내용상 positive comments가 알맞다.

7 (1) 어른들에 의해 동반되는 것이므로 수동태로 쓴다. 조동사가 있는 경우 수동태는 '조동사 + be + 과거분사'로 쓴다.
(2) '~하는 게 좋겠다'는 'had better + 동사원형'으로 나타낸다.

8 (1) 사람의 성격을 나타내는 형용사가 보어로 쓰인 경우 의미상 주어는 'of + 목적격'으로 나타낸다.
해석 그가 말한 것을 믿다니 너는 어리석구나.
(2) too + 형용사/부사 + to부정사: 너무 ~해서 …할 수 없다
해석 너는 너무 어려서 학교에 갈 수 없다.

[9-11] 해석 영화에서 (관객의) 집중을 얻기는 쉽다. 감독은 자신이 관객으로 하여금 바라보기를 원하는 어떤 것에든 단지 카메라를 향하게 하면 된다. 관객이 자신이 원하는 곳 어디든 자유롭게 볼 수 있기 때문에 무대 위에서는 (관객의) 집중이 훨씬 더 어려운 일이다. 무대 감독은 관객의 관심을 얻어서 그들의 시선을 특정한 장소나 배우로 향하게 해야만 한다. 이것은 조명, 의상, 배경, 목소리, 움직임을 통해 이루어질 수 있다.

9 주어 역할을 할 수 있는 동명사 또는 to부정사가 들어가야 한다.

10 앞 내용의 원인(이유)에 대한 내용이 빈칸 뒤에 이어지므로 접속사 because가 알맞다.
해석 ① ~ 때문에 ② (만약) ~라면 ③ ~할 때 ④ 비록 ~일지라도
⑤ ~하는 동안, ~인 데 반하여

11 주어가 행위의 대상이므로 수동태가 되어야 한다. 조동사가 있는 경우 수동태는 '조동사 + be + 과거분사'로 쓴다.

12 ② 조동사가 있는 경우 수동태는 '조동사 + be + 과거분사'로 쓴다. send → sent
해석 ① 그 도서관은 많은 사람들이 방문한다.
② 그 편지는 Mike에 의해 Sam에게 보내질 것이다.
③ 우리는 김 선생님에게 영어를 배운다.
④ 이 책상은 나의 아버지에 의해 만들어졌다.
⑤ 한글은 세종대왕에 의해 만들어졌다.

13 (1) 사역동사의 목적격 보어인 동사원형은 수동태 문장에서 to부정사로 바뀐다.
해석 그는 노트북 컴퓨터를 수리하게 되었다.
(2) be surprised at: ~에 놀라다
해석 나는 그 소식에 매우 놀랐다.

14 ⓐ 전치사 without의 목적어이므로 동명사가 알맞다.
ⓑ enjoy는 목적어로 동명사를 취한다.
해석 중독을 일으킬 수 있는 많은 산림 식물 중에서 야생 버섯은 가

장 위험한 것들 중의 하나이다. 이는 사람들이 종종 독성이 있는 품종과 먹을 수 있는 품종을 혼동하거나 혹은 품종에 대해 확실한 확인을 하지 않고 버섯을 먹기 때문이다. 야생 버섯 종들은 훌륭한 식용 버섯이고 매우 귀하게 여겨지기 때문에 많은 사람들이 봄에 야생 버섯 종을 찾아다니는 것을 즐긴다.

15 be busy -ing: ~하느라 바쁘다

Memo

7일 끝!

어휘
모아 보기

 어휘 모아 보기 활용 안내

◈ 7일간 학습한 **일별 어휘** 한꺼번에 확인하기!

◈ 어휘 테스트를 통해 **한 번 더** 체크하기!

1일

- ☐ accept 받아들이다
- ☐ advertise 광고하다
- ☐ apology 사과
- ☐ borrow 빌리다
- ☐ company 회사
- ☐ complain 불평하다
- ☐ conscious 의식하는, 의식이 있는
- ☐ dolphin 돌고래
- ☐ drop 떨어지다, 떨어뜨리다
- ☐ faulty 흠이 있는, 잘못된
- ☐ forgive 용서하다
- ☐ gain 얻다, 획득하다
- ☐ headahce 두통
- ☐ marketer 시장 경영자, 마케팅 담당자
- ☐ neighbor 이웃
- ☐ novel 소설
- ☐ protect 보호하다
- ☐ refund 환불; 환불하다

- ☐ replace 대신하다, 바꾸다
- ☐ return 돌려주다
- ☐ rush 급히 움직이다, 서두르다
- ☐ suspect 의심하다, 수상쩍어 하다
- ☐ warranty 품질 보증서
- ☐ yet (부정문에서) 아직, (의문문에서) 벌써
- ☐ each other 서로
- ☐ suffer from ~로 고통 받다

2일

- ☐ affect 영향을 미치다
- ☐ average 평균의
- ☐ context 맥락, 전후 사정, 문맥
- ☐ criterion 기준 (pl. criteria)
- ☐ discourage 의욕을 꺾다, 좌절시키다
- ☐ diverse 다양한
- ☐ enthusiasm 열광, 열정

- ☐ explain 설명하다
- ☐ hire 고용하다, 빌리다
- ☐ honor 명예, 포상
- ☐ improve 개선하다, 향상시키다
- ☐ infant 유아
- ☐ interconnected 상호 연결된, 상관된
- ☐ negatively 부정적으로
- ☐ occur 일어나다, 발생하다
- ☐ performance 실적, 성과
- ☐ prepare 준비하다
- ☐ reaction 반응, 반작용
- ☐ resource 자원, 재원
- ☐ reward 보상
- ☐ technical 전문적인, 기술적인
- ☐ unnecessary 불필요한
- ☐ vegetarian 채식주의자; 채식의
- ☐ based on ~에 근거하여
- ☐ depend on ~에 의존하다
- ☐ figure out 계산해 내다, 생각해 내다

3일

- [ ] **announce** 발표하다, 알리다
- [ ] **assess** 가늠하다, 평가하다
- [ ] **award** 수여하다
- [ ] **collapse** 붕괴되다, 무너지다
- [ ] **contribution** 기여, 이바지
- [ ] **costume** 의상, 복장
- [ ] **determine** 알아내다, 밝히다
- [ ] **disappoint** 실망시키다
- [ ] **expression** 표현, 표정
- [ ] **impression** 인상, 느낌
- [ ] **individual** 개인; 개인의
- [ ] **interaction** 상호 작용
- [ ] **medicine** 약, 약물
- [ ] **obstacle** 장애, 장애물
- [ ] **pharmacist** 약사
- [ ] **philosophy** 철학
- [ ] **preparation** 준비
- [ ] **repair** 수리하다
- [ ] **scenery** 무대 장치, 경치, 풍경

- [ ] **steal** 훔치다
- [ ] **submit** 제출하다
- [ ] **transport** 수송하다
- [ ] **various** 다양한
- [ ] **bring up** ~을 기르다
- [ ] **look forward to** ~을 기대하다
- [ ] **look up to** ~을 존경하다

4일

- [ ] **ability** 능력, 재능
- [ ] **acquire** 습득하다, 얻다
- [ ] **anticipation** 예상, 예측
- [ ] **appear** 나타나다
- [ ] **barely** 간신히, 거의 ~ 아니게 [없이]
- [ ] **coexist** 동시에 있다, 공존하다
- [ ] **decade** 10년
- [ ] **edge** 끝, 가장자리
- [ ] **factory** 공장

- [ ] **foreign** 외국의
- [ ] **geography** 지리, 지형
- [ ] **individually** 개별적으로
- [ ] **influence** 영향을 주다
- [ ] **language** 언어, 말
- [ ] **license** 면허증
- [ ] **necessary** 필요한
- [ ] **perish** 죽다, 비명횡사하다
- [ ] **pioneer** 개척자
- [ ] **predict** 예측하다
- [ ] **register** 등록하다, 신고하다
- [ ] **relationship** 관계
- [ ] **shelter** 주거지, 보호소
- [ ] **survive** 살아남다, 생존하다
- [ ] **tribe** 부족, 종족
- [ ] **collaborate with** ~와 협동하다
- [ ] **turn away** 외면하다, 거부하다

5일

- [ ] **admit** 인정하다, 시인하다
- [ ] **apologize** 사과하다
- [ ] **argue** 언쟁을 하다, 다투다
- [ ] **bias** 편견, 편향
- [ ] **cognitive** 인식의, 인지의
- [ ] **condition** 몸의 상태를 조절하다; 조건, 상태
- [ ] **custom** 관습, 풍습
- [ ] **distance** 거리
- [ ] **flexibility** 유연성
- [ ] **humility** 겸손
- [ ] **intellectual** 지능의, 지적인
- [ ] **involve** 수반하다, 포함하다
- [ ] **knowledge** 지식
- [ ] **limit** 한계, 한도
- [ ] **objective** 객관적인
- [ ] **offer** 제의, 제안
- [ ] **opinion** 의견
- [ ] **overcome** 극복하다, 이기다

- [ ] **period** 기간, 시기
- [ ] **possess** 소유하다
- [ ] **recognize** 알아보다, 인정하다
- [ ] **scramble** 재빨리 움직이다
- [ ] **species** 종 (생물 분류의 기초 단위)
- [ ] **tend** (~하는) 경향이 있다, ~하기 쉽다
- [ ] **viewpoint** 관점, 시각
- [ ] **virtuous** 도덕적인, 고결한

6일

- [ ] **abundance** 풍부
- [ ] **annoy** 짜증나게 하다
- [ ] **argument** 논쟁, 언쟁
- [ ] **availability** 유효성, 가능성
- [ ] **available** 구할 수 있는
- [ ] **behalf** 이익, 원조, 지지
- [ ] **comfortable** 편안한, 쾌적한
- [ ] **conduct** (특정한 행동을) 하다

- [ ] **connection** 관련성
- [ ] **cooperation** 협력, 합동
- [ ] **demand** 요구 (사항)
- [ ] **industrial** 산업의, 공업의
- [ ] **interconnected** 상호 연락된, 상호 연결된
- [ ] **internationally** 국제적으로
- [ ] **normally** 보통(은)
- [ ] **numerous** 많은
- [ ] **practical** 현실적인, 실질적인
- [ ] **procedure** 절차, 방법
- [ ] **purchase** 구입, 구매
- [ ] **scarce** 부족한, 드문
- [ ] **succeed** 성공하다
- [ ] **support** 지지하다
- [ ] **trade** 거래, 교역
- [ ] **warehouse** 창고
- [ ] **run into** ~를 우연히 만나다
- [ ] **work out** 운동하다

7일

- argue 언쟁을 하다
- belly 배, 복부
- compare 비교하다
- conclusion 결론
- conform 따르다, 순응하다
- critically 비판적으로
- desire 욕구, 갈망
- expand 확대시키다, 확장시키다
- experiment 실험
- explanation 해명, 설명
- expose 드러내다
- extraordinary 기이한, 놀라운
- gratification 만족감(을 주는 것)
- identity 신원, 신분, 정체
- inadequate 불충분한, 부적당한
- intense 극심한, 강렬한
- observation 관찰, 감시
- path 길

- positively 긍정적으로
- pressure 압박, 압력
- productively 생산적으로
- record 기록
- reliable 믿을 수 있는
- religion 종교
- temper (걸핏하면 화를 내는) 성질
- traditional 전통의

1일 영어는 우리말로, 우리말은 영어로 쓰세요.

01	replace	21	받아들이다
02	advertise	22	대신하다, 바꾸다
03	neighbor	23	돌려주다
04	borrow	24	보호하다
05	suspect	25	불평하다
06	complain	26	의심하다, 수상쩍어 하다
07	drop	27	돌고래
08	faulty	28	용서하다
09	warranty	29	두통
10	gain	30	이웃
11	novel	31	소설
12	apology	32	회사
13	protect	33	아직, 벌써
14	conscious	34	환불; 환불하다
15	refund	35	광고하다
16	accept	36	사과
17	headache	37	급히 움직이다, 서두르다
18	company	38	시장 경영자, 마케팅 담당자
19	forgive	39	의식하는, 의식이 있는
20	each other	40	~로 고통 받다

2일 영어는 우리말로, 우리말은 영어로 쓰세요.

01	interconnected		21	명예, 포상
02	resource		22	실적, 성과
03	criterion		23	유아
04	discourage		24	전문적인, 기술적인
05	vegetarian		25	자원, 재원
06	explain		26	준비하다
07	honor		27	평균의
08	reward		28	개선하다, 향상시키다
09	infant		29	의욕을 꺾다, 좌절시키다
10	affect		30	열광, 열정
11	negatively		31	설명하다
12	reaction		32	일어나다, 발생하다
13	prepare		33	맥락, 전후 사정, 문맥
14	occur		34	고용하다, 빌리다
15	average		35	반응, 반작용
16	improve		36	영향을 미치다
17	unnecessary		37	보상
18	diverse		38	부정적으로
19	figure out		39	불필요한
20	based on		40	~에 의존하다

3일 영어는 우리말로, 우리말은 영어로 쓰세요.

01 preparation _____ 21 다양한 _____

02 steal _____ 22 약, 약물 _____

03 assess _____ 23 상호 작용 _____

04 individual _____ 24 기여, 이바지 _____

05 various _____ 25 알아내다, 밝히다 _____

06 collapse _____ 26 수송하다 _____

07 submit _____ 27 표현, 표정 _____

08 costume _____ 28 준비 _____

09 disappoint _____ 29 개인; 개인의 _____

10 pharmacist _____ 30 붕괴되다, 무너지다 _____

11 award _____ 31 철학 _____

12 interaction _____ 32 가늠하다, 평가하다 _____

13 obstacle _____ 33 인상, 느낌 _____

14 impression _____ 34 수리하다 _____

15 philosophy _____ 35 무대 장치, 경치, 풍경 _____

16 announce _____ 36 제출하다 _____

17 repair _____ 37 실망시키다 _____

18 contribution _____ 38 발표하다, 알리다 _____

19 transport _____ 39 ~을 기대하다 _____

20 bring up _____ 40 ~을 존경하다 _____

4일 영어는 우리말로, 우리말은 영어로 쓰세요.

01	license		21	등록하다, 신고하다	
02	acquire		22	관계	
03	survive		23	개척자	
04	appear		24	영향을 주다	
05	decade		25	간신히, 거의 ~ 아니게[없이]	
06	predict		26	동시에 있다, 공존하다	
07	foreign		27	주거지, 보호소	
08	tribe		28	끝, 가장자리	
09	individually		29	살아남다, 생존하다	
10	necessary		30	지리, 지형	
11	ability		31	나타나다	
12	perish		32	언어, 말	
13	pioneer		33	면허증	
14	factory		34	습득하다, 얻다	
15	register		35	예측하다	
16	influence		36	능력, 재능	
17	shelter		37	10년	
18	anticipation		38	외국의	
19	geography		39	부족, 종족	
20	turn away		40	~와 협동하다	

5일 영어는 우리말로, 우리말은 영어로 쓰세요.

01 objective _____

02 period _____

03 recognize _____

04 custom _____

05 distance _____

06 flexibility _____

07 species _____

08 involve _____

09 knowledge _____

10 viewpoint _____

11 admit _____

12 offer _____

13 opinion _____

14 overcome _____

15 argue _____

16 possess _____

17 bias _____

18 scramble _____

19 intellectual _____

20 limit _____

21 소유하다 _____

22 의견 _____

23 수반하다, 포함하다 _____

24 인식의, 인지의 _____

25 인정하다, 시인하다 _____

26 제의, 제안 _____

27 언쟁을 하다, 다투다 _____

28 도덕적인, 고결한 _____

29 관습, 풍습 _____

30 거리 _____

31 겸손 _____

32 지능의, 지적인 _____

33 알아보다, 인정하다 _____

34 지식 _____

35 한계, 한도 _____

36 사과하다 _____

37 기간, 시기 _____

38 종 (생물 분류의 기초 단위) _____

39 (~하는) 경향이 있다, ~하기 쉽다 _____

40 몸의 상태를 조절하다; 조건, 상태 _____

6일 영어는 우리말로, 우리말은 영어로 쓰세요.

01	numerous	21	관련성
02	trade	22	지지하다
03	availability	23	상호 연락된, 상호 연결된
04	practical	24	짜증나게 하다
05	comfortable	25	요구 (사항)
06	scarce	26	구할 수 있는
07	cooperation	27	이익, 원조, 지지
08	demand	28	편안한, 쾌적한
09	industrial	29	절차, 방법
10	purchase	30	협력, 합동
11	normally	31	거래, 교역
12	abundance	32	산업의, 공업의
13	behalf	33	성공하다
14	procedure	34	국제적으로
15	interconnected	35	현실적인, 실질적인
16	connection	36	구입, 구매
17	warehouse	37	부족한, 드문
18	support	38	(특정한 행동을) 하다
19	annoy	39	논쟁, 언쟁
20	work out	40	~를 우연히 만나다

7일 영어는 우리말로, 우리말은 영어로 쓰세요.

01	intense		21	욕구, 갈망	
02	argue		22	종교	
03	belly		23	긍정적으로	
04	observation		24	따르다, 순응하다	
05	conclusion		25	비판적으로	
06	explanation		26	기록	
07	experiment		27	확대시키다, 확장시키다	
08	religion		28	(걸핏하면 화를 내는) 성질	
09	expose		29	기이한, 놀라운	
10	productively		30	전통의	
11	gratification		31	극심한, 강렬한	
12	traditional		32	관찰, 감시	
13	inadequate		33	압박, 압력	
14	compare		34	비교하다	
15	path		35	결론	
16	extraordinary		36	언쟁을 하다	
17	record		37	해명, 설명	
18	reliable		38	신원, 신분, 정체	
19	desire		39	실험	
20	identity		40	드러내다	

어휘 테스트 정답

1일

01 대신하다, 바꾸다   02 광고하다   03 이웃   04 빌리다   05 의심하다, 수상쩍어 하다   06 불평하다   07 떨어지다, 떨어뜨리다   08 흠이 있는, 잘못된   09 품질 보증서   10 얻다, 획득하다   11 소설   12 사과   13 보호하다   14 의식하는, 의식이 있는   15 환불; 환불하다   16 받아들이다   17 두통   18 회사   19 용서하다   20 서로   21 accept   22 replace   23 return   24 protect   25 complain   26 suspect   27 dolphin   28 forgive   29 headache   30 neighbor   31 novel   32 company   33 yet   34 refund   35 advertise   36 apology   37 rush   38 marketer   39 conscious   40 suffer from

2일

01 상호 연결된, 상관된   02 자원, 재원   03 기준   04 의욕을 꺾다, 좌절시키다   05 채식주의자; 채식의   06 설명하다   07 명예, 포상   08 보상   09 유아   10 영향을 미치다   11 부정적으로   12 반응, 반작용   13 준비하다   14 일어나다, 발생하다   15 평균의   16 개선하다, 향상시키다   17 불필요한   18 다양한   19 계산해 내다. 생각해 내다   20 ~에 근거하여   21 honor   22 performance   23 infant   24 technical   25 resource   26 prepare   27 average   28 improve   29 discourage   30 enthusiasm   31 explain   32 occur   33 context   34 hire   35 reaction   36 affect   37 reward   38 negatively   39 unnecessary   40 depend on

3일

01 준비   02 훔치다   03 가늠하다, 평가하다   04 개인; 개인의   05 다양한   06 붕괴되다, 무너지다   07 제출하다   08 의상, 복장   09 실망시키다   10 약사   11 수여하다   12 상호 작용   13 장애, 장애물   14 인상, 느낌   15 철학   16 발표하다, 알리다   17 수리하다   18 기여, 이바지   19 수송하다   20 ~을 기르다   21 various   22 medicine   23 interaction   24 contribution   25 determine   26 transport   27 expression   28 preparation   29 individual   30 collapse   31 philosophy   32 assess   33 impression   34 repair   35 scenery   36 submit   37 disappoint   38 announce   39 look forward to   40 look up to

4일

01 면허증   02 습득하다, 얻다   03 살아남다, 생존하다   04 나타나다   05 10년   06 예측하다   07 외국의   08 부족, 종족   09 개별적으로   10 필요한   11 능력, 재능   12 죽다, 비명횡사하다   13 개척자   14 공장   15 등록하다, 신고하다   16 영향을 주다   17 주거지, 보호소   18 예상, 예측   19 지리, 지형   20 외면하다, 거부하다   21 register   22 relationship   23 pioneer   24 influence   25 barely   26 coexist   27 shelter   28 edge   29 survive   30 geography   31 appear   32 language   33 license   34 acquire   35 predict   36 ability   37 decade   38 foreign   39 tribe   40 collaborate with

5일

01 객관적인　02 기간, 시기　03 알아보다, 인정하다
04 관습, 풍습　05 거리　06 유연성　07 종(생물 분류의 기초 단위)　08 수반하다, 포함하다　09 지식
10 관점, 시각　11 인정하다, 시인하다　12 제의, 제안
13 의견　14 극복하다, 이기다　15 언쟁을 하다, 다투다
16 소유하다　17 편견, 편향　18 재빨리 움직이다
19 지능의, 지적인　20 한계, 한도　21 possess
22 opinion　23 involve　24 cognitive
25 admit　26 offer　27 argue　28 virtuous
29 custom　30 distance　31 humility
32 intellectual　33 recognize　34 knowledge
35 limit　36 apologize　37 period　38 species
39 tend　40 condition

6일

01 많은　02 거래, 교역　03 유효성, 가능성　04 현실적인, 실질적인　05 편안한, 쾌적한　06 부족한, 드문
07 협력, 합동　08 요구(사항)　09 산업의, 공업의
10 구입, 구매　11 보통(은)　12 풍부　13 이익, 원조, 지지　14 절차, 방법　15 상호 연락된, 상호 연결된
16 관련성　17 창고　18 지지하다　19 짜증나게 하다
20 운동하다　21 connection　22 support
23 interconnected　24 annoy　25 demand
26 available　27 behalf　28 comfortable
29 procedure　30 cooperation　31 trade
32 industrial　33 succeed　34 internationally
35 practical　36 purchase　37 scarce
38 conduct　39 argument　40 run into

7일

01 극심한, 강렬한　02 언쟁을 하다　03 배, 복부
04 관찰, 감시　05 결론　06 해명, 설명　07 실험
08 종교　09 드러내다　10 생산적으로　11 만족감(을 주는 것)　12 전통의　13 불충분한, 부적당한　14 비교하다　15 길　16 기이한, 놀라운　17 기록　18 믿을 수 있는　19 욕구, 갈망　20 신원, 신분, 정체
21 desire　22 religion　23 positively
24 conform　25 critically　26 record
27 expand　28 temper　29 extraordinary
30 traditional　31 intense　32 observation
33 pressure　34 compare　35 conclusion
36 argue　37 explanation　38 identity
39 experiment　40 expose

핵심정리 01 과거·현재·미래 시제 / 진행 시제

시제	형태
과거	was / were, 일반동사의 과거형
현재	am / are / is, 일반동사의 현재형
미래	will + **❶ 　　　　** , be going to + 동사원형

* 가까운 미래에 확정된 계획이나 비행기, 영화 등의 스케줄은 **❷ 　　　　** 로 나타낼 수 있다.

> 시간 · 조건의 부사절에서는
> 현재 시제로 미래의 일을 나타내요.

시제	형태
과거 진행	was / were + 동사원형-ing
현재 진행	am / are / is + 동사원형-ing
미래 진행	will be + 동사원형-ing

답 ❶ 동사원형 ❷ 현재 시제

핵심정리 02 현재완료

현재완료: have/has + 과거분사	
경험	~해 본 적이 있다
계속	(지금까지 계속) **❶ 　　　　**
완료	(지금) 막 ~했다, 이미 ~했다
결과	~해 버렸다

* 현재완료는 과거에 시작한 일이 현재까지 영향을 미칠 때 사용한다.

* 부정문: have / has not[haven't / hasn't] + **❷ 　　　　**

* 의문문: (의문사 +) Have + 주어 + 과거분사 ~?

> 과거의 특점 시점을 나타내는 부사는
> 현재완료와 함께 쓸 수 없어요.

답 ❶ ~해 왔다 ❷ 과거분사

핵심정리 03 과거완료 / 미래완료

시제	형태
과거완료	had + 과거분사
미래완료	will have + **❶ 　　　　**

* 과거완료: 과거의 특정 시점 이전에 일어난 일이 과거의 특정 시점까지 영향을 줄 때 사용하며, 과거의 일보다 더 이전에 있었던 일을 나타낸다.

* 과거완료 진행: had been + 현재분사
  cf. 현재완료 진행: have / has been + **❷ 　　　　**

* 미래완료: 현재부터 미래의 어느 시점까지 영향을 주는 일을 나타낼 때 사용한다.

답 ❶ 과거분사 ❷ 현재분사

핵심정리 04 조동사 1

조동사	의미	부정
can	~할 수 있다 (=be able to) ~해도 된다 (= may)	cannot [can't]
may	~일지도 모른다 ~해도 된다 (=can)	may not
will	~할 것이다, ~하겠다 (=be **❶ 　　** to)	will not [won't]
must	~해야 한다 (=have to) ~임에 틀림없다	must not cannot (~일리가 없다)
should	~해야 한다, ~하는 것이 좋다 (=had **❷ 　　**)	should not [shouldn't]

답 ❶ going ❷ better

1 I **have** never [①_____] to New York before. 〈경험〉

(나는 전에 뉴욕에 가 본 적이 없다.)

2 My grandma **has been** in the hospital since last month. 〈계속〉

(할머니는 지난 달부터 계속 병원에 계신다.)

3 She **has** just [②_____] her homework. 〈완료〉

(그녀는 숙제를 막 끝냈다.)

4 He **has lost** his bike. 〈결과〉

(그는 자전거를 잃어버렸다.)

답 ① been ② finished

---

1 I [①_____] **see** the movie next week.

(나는 다음 주에 그 영화를 볼 것이다.)

2 If it [②_____] snowy tomorrow, I'll stay at home.

(내일 눈이 온다면 나는 집에 있을 것이다.)

3 I **was working** hard at that time.

(나는 그때 열심히 일하는 중이었다.)

4 In an hour, he **will** [③_____] **reading** the book.

(한 시간 후에 그는 그 책을 읽고 있을 것이다.)

5 She **is visiting** her uncle next weekend.

(그녀는 다음 주말에 삼촌을 방문할 것이다.)

답 ① will ② is ③ be

---

1 You **must** cross the street at a green light.

(너는 녹색불에 길을 건너야 한다.)

2 There [①_____] be some reason for it.

(거기에는 어떤 이유가 있음에 틀림없다.)

3 You **should** be careful when you use a knife.

(칼을 사용할 때는 조심해야 한다.)

4 He [②_____] be a genius.

(그는 천재일 리가 없다.)

5 I think she **may** be a liar. I don't trust her.

(나는 그녀가 거짓말쟁이일 수도 있다고 생각한다. 나는 그녀를 신뢰하지 않는다.)

답 ① must ② cannot

---

1 When I got to the theater, the movie [①_____] already **started**.

(내가 극장에 도착했을 때, 영화는 이미 시작했다.)

2 I realized that he **had lied** to me.

(나는 그가 나에게 거짓말을 했던 것을 깨달았다.)

3 By the time my mom gets home I **will** [②_____] **finished** my homework.

(엄마가 집에 도착할 때 쯤 나는 숙제를 끝냈을 것이다.)

답 ① had ② have

자르는 선

핵심정리 05 조동사 2

had better + 동사원형	~하는 게 좋겠다
would rather + 동사원형[A] (+ than + 동사원형[B])	(B하기 보다는 차라리) A하겠다
used to + ❶ [____]	~하곤 했다, ~이었다
would + 동사원형	~하곤 했다
may well + 동사원형	~하는 것도 당연하다
may as well + 동사원형	~하는 게 좋겠다
cannot but + 동사원형	~할 수밖에 …없다
cannot ~ too …	아무리 …해도 지나치지 않다

used to와 would는 둘 다 과거의 습관을 표현할 수 있지만, 과거의 상태를 나타낼 때는 ❷ [____] 만 쓸 수 있어요.

답 ❶ 동사원형 ❷ used to

핵심정리 06 조동사 + have + p.p.

should have p.p.	~했어야 했다
❶ [____] have p.p.	~했음에 틀림없다
may[might] have p.p.	~했을지도 모른다
cannot have p.p.	~했을 리가 없다
could ❷ [____] p.p.	~했을 수도 있다, ~할 수도 있었다

should have p.p.(~했어야 했다)는 과거에 하지 못한 일에 대한 후회를 나타내고, shouldn't have p.p.(~하지 말았어야 했다)는 과거에 했던 일에 대한 후회를 나타내요.

답 ❶ must ❷ have

핵심정리 07 수동태의 시제와 형태

시제	수동태의 형태
현재	am / are / is + 과거분사
과거	was / were + ❶ [____]
미래	will be + 과거분사, be동사 + going to be + 과거분사
진행	be동사 + being + 과거분사
완료	have / has / had / will have + been + 과거분사
조동사가 있는 경우	조동사 + ❷ [____] + 과거분사

행위의 주체는 'by + 행위자'로 표현해요.

답 ❶ 과거분사 ❷ be

핵심정리 08 4 · 5형식 문장의 수동태

	문장의 형태
4형식 문장	주어 + 동사 + 간접목적어(I·O) + 직접목적어(D·O)
간접목적어가 주어가 될 때의 수동태	주어(I·O) + be동사 + 과거분사 + D·O + ❶ [____] + 행위자
직접목적어가 주어가 될 때의 수동태	주어(D·O) + be동사 + 과거분사 + 전치사 + I·O + by + 행위자

	문장의 형태
5형식 문장	주어 + 동사 + 목적어(O) + 목적격보어(O·C)
대부분 동사의 수동태	주어(O) + be동사 + 과거분사 + 보어(O·C) + by + 행위자
지각동사, 사역동사의 수동태	주어(O) + be동사 + 과거분사 + to부정사(O·C) + by + 행위자

• 지각동사나 사역동사가 쓰인 5형식 문장에서 목적격보어인 동사원형은 수동태 문장에서 ❷ [____] 로 바뀐다.

답 ❶ by ❷ to부정사

06 핵심 정리 예문

1 You **should have been** more careful.
(너는 더 조심했어야 했다.)

2 It **❶ [   ]** **have been** true.

(그것은 사실이었을지도 모른다.)

3 She **cannot have done** such a thing.

(그녀가 그런 일을 했을 리가 없다.)

4 Minho didn't come to the party. He
❷ [   ] **have been** busy.

(민호는 파티에 오지 않았다. 그는 바빴음에 틀림없다.)

05 핵심 정리 예문

1 You **had better** exercise every day.
(너는 매일 운동하는 게 좋겠다.)

2 You **had better not** go to the party.
(너는 그 파티에 가지 않는 게 좋겠다.)

3 There **❶ [   ]** be an old house here.

(여기에 오래된 집이 있었다.)

4 I **would rather** read a book **❷ [   ]**
watch TV.

(나는 TV를 보느니 차라리 책을 읽겠다.)

5 You **may well** take a nap.
(네가 낮잠을 자는 것도 당연하다.)

6 He **cannot ❸ [   ]** believe it.

(그는 그것을 믿을 수밖에 없다.)

08 핵심 정리 예문

1 A toy car **was sent to** me by my uncle.
(장난감 자동차는 삼촌에 의해 나에게 보내졌다.)

2 Some questions **were asked ❶ [   ]** me
by my teacher.
(선생님께서 몇몇 질문을 나에게 물어보셨다.)

3 I **am called a walking dictionary** by my
friends.
(나는 친구들에 의해 걸어 다니는 사전이라고 불린다.)

4 He **was made ❷ [   ]** the computer.
(그는 그 컴퓨터를 고치게 되었다.)

07 핵심 정리 예문

1 The hall **is ❶ [   ]** for various reasons.

(그 홀은 다양한 이유로 사용된다.)

2 The vase **was broken** by my brother.
(그 꽃병은 내 남동생에 의해 깨졌다.)

3 The car **will be driven** by my mother.
(그 차는 우리 엄마가 운전하실 것이다.)

4 The movie **has ❷ [   ] shown** since last
month.
(그 영화는 지난달부터 상영되고 있다.)

5 This project **must be finished** by tomorrow.
(이 프로젝트는 내일까지 끝마쳐야 한다.)

핵심정리 09 by 이외의 전치사를 쓰는 수동태의 관용 표현

with	be covered with: ~으로 덮여 있다 be crowded with: ~으로 붐비다 be ❶ [ ] with: ~으로 가득 차다 be faced with: ~에 직면하다 be satisfied with: ~에 만족하다
to	be related to: ~와 관계가 있다 be married to: ~와 결혼하다 be accustomed to: ~에 익숙하다
of	be ashamed of: ~을 부끄러워하다 be ❷ [ ] of: ~에 싫증나다 be composed of: ~으로 구성되다 be made of[from]: ~으로 만들어지다
in	be interested in: ~에 관심이 있다 be involved in: ~와 관련되다
at	be surprised at: ~에 놀라다 be disappointed at: ~에 실망하다

답 ❶ filled ❷ tired

핵심정리 10 to부정사의 명사적 용법

• to부정사는 ❶ [ ] 처럼 주어, 보어, 목적어의 역할을 하며 '~하는 것, ~하기'라고 해석한다.

to부정사(구) 주어는 단수 취급해요.

• '의문사 + to부정사'는 명사처럼 쓰이며, '의문사 + 주어 + should + 동사원형'으로 바꾸어 쓸 수 있다.

what + to부정사	무엇을 ~할지
when + to부정사	언제 ~할지
where + to부정사	어디로 ~할지
❷ [ ] + to부정사	어떻게 ~할지, ~하는 방법
which + to부정사	어느 것을 ~할지
who(m) + to부정사	누가[누구를] ~할지

답 ❶ 명사 ❷ how

핵심정리 11 to부정사의 형용사적 용법

어순	(대)명사 + to부정사 -thing, -one, -body(+ 형용사) + to부정사 (대)명사 + to부정사 + 전치사

• to부정사는 ❶ [ ] 처럼 명사 또는 대명사를 수식하는 역할을 하며 '~할, ~하는'이라는 의미를 나타낸다.

• to부정사의 수식을 받는 명사가 전치사의 목적어일 때는 to부정사 뒤에 ❷ [ ] 를 써야 한다.

• 주어를 서술하는 보어 역할을 하는 경우에는 예정, 의무, 의도, 가능, 운명 등의 의미를 나타낸다.

to부정사는 (대)명사를 뒤에서 수식해요.

답 ❶ 형용사 ❷ 전치사

핵심정리 12 to부정사의 부사적 용법

의미	목적 (~하기 위해서) 감정의 원인 (~해서, ~하니) 판단의 근거 (~하다니) 결과 (…해서 ~하다) 형용사 수식 (~하기에)

• to부정사는 ❶ [ ] 처럼 동사, 형용사, 부사를 수식할 수 있으며, 부사적 용법의 to부정사는 목적, 감정의 원인, 판단의 근거, 결과 등의 의미를 나타낸다.

부사적 용법의 관용 표현	
형용사/부사 + ❷ [ ] + to부정사	~할 정도로 충분히 …한/하게
too + 형용사/부사 + to부정사	너무 ~해서 …할 수 없다

답 ❶ 부사 ❷ enough

10 핵심 정리 예문

1 **To exercise** every day ❶[　　] good for your health.
(매일 운동하는 것은 건강에 좋다.)

2 My dream is **to become** a scientist.
(내 꿈은 과학자가 되는 것이다.)

3 She wants **to build** an animal shelter.
(그녀는 동물 보호소를 짓기를 원한다.)

4 She doesn't know ❷[　　] **to solve** the math problem.
(그녀는 그 수학 문제는 어떻게 푸는지 모른다.)

5 He doesn't know **where to go**.
(그는 어디로 가야 할지 모른다.)

답 ❶ is ❷ how

09 핵심 정리 예문

1 He **was disappointed at** the results.
(그는 그 결과에 실망했다.)

2 The mountains **are covered** ❶[　　] colorful leaves.
(그 산은 형형색색의 나뭇잎으로 덮여 있다.)

3 She **is interested** ❷[　　] playing the guitar.
(그녀는 기타 치는 것에 흥미가 있다.)

답 ❶ with ❷ in

12 핵심 정리 예문

1 He went to the grocery store ❶[　　] some flour. 〈목적〉
(그는 밀가루를 사기 위해서 식료품점에 갔다.)

2 I'm very glad ❷[　　] you again. 〈감정의 원인〉
(나는 너를 다시 만나게 되어서 매우 기쁘다.)

3 She must be smart ❸[　　] the problem. 〈판단의 근거〉
(그 문제를 풀다니 그녀는 똑똑함에 틀림없다.)

4 She grew up **to be** a professor. 〈결과〉
(그녀는 자라서 교수가 되었다.)

5 This article is difficult **to understand**. 〈형용사 수식〉
(이 기사는 이해하기 어렵다.)

답 ❶ to buy ❷ to meet ❸ to solve

11 핵심 정리 예문

1 It is time ❶[　　] lunch.
(점심 먹을 시간이다.)

2 I have something important **to give** you.
(나는 너에게 줄 중요한 것이 있다.)

3 I need a pen **to write** ❷[　　].
(나는 쓸 펜이 필요하다.)

4 She is **to leave** for New York tomorrow.
(그녀는 내일 뉴욕으로 떠날 예정이다.)

5 You **are to finish** the work in time.
(너는 제시간에 그 일을 끝내야 한다.)

답 ❶ to eat ❷ with

핵심정리 13 가주어 / 가목적어 / to부정사의 의미상 주어

가주어 / 가목적어	to부정사(구)가 주어나 목적어로 쓰일 때 주어나 목적어 자리에 it을 쓰고 to부정사(구)를 뒤로 보낼 경우, ❶ [　　　] 을 가주어 또는 가목적어라고 한다.
to부정사의 의미상 주어	to부정사의 행위의 주체가 문장의 주어와 다를 경우 to부정사 앞에 '❷ [　　　] + 목적격'을 써서 to부정사의 의미상 주어를 나타낸다.

사람의 성격을 나타내는 형용사가 쓰이면 의미상 주어로 'of + 목적격'을 써요.

답 ❶ it ❷ for

핵심정리 14 동명사의 용법

동명사의 용법	동명사는 '동사원형 -ing' 형태로 문장에서 주어, 보어, 목적어로 ❶ [　　　] 의 역할을 한다.
동명사의 부정	not[never] + 동명사

동명사의 의미상 주어	❷ [　　　] [목적격] (의미상 주어가 무생물일 때는 목적격을 씀)
의미상 주어를 생략하는 경우	주어가 일반인일 경우 문장의 주어, 목적어와 일치할 경우

• 동명사의 행위의 주체를 나타내는 의미상 주어는 동명사 앞에 소유격이나 목적격을 써서 나타낸다.

동명사가 문장의 시제보다 앞서 일어난 일을 나타낼 때는 완료 동명사(having + p.p.)를 써요.

답 ❶ 명사 ❷ 소유격

핵심정리 15 동명사 vs. to부정사

동명사를 목적어로 쓰는 동사	finish, stop, keep, enjoy, mind, avoid, practice, deny, admit, imagine, recomend, involve 등
to부정사를 목적어로 쓰는 동사	want, hope, expect, need, decide, plan, choose, learn, agree, promise, manage 등
동명사와 to부정사를 모두 목적어로 쓰는 동사	like, love, hate, prefer, start, begin, continue 등

remember / forget	+ 동명사	(과거에) ~했던 것을 기억하다 / 잊다
	+ to부정사	(앞으로) ~할 것을 기억하다 / 잊다
regret	+ 동명사	(과거에) ~했던 것을 ❶ [　　　]
	+ to부정사	(현재, 앞으로) ~하게 되어 유감이다
try	+ 동명사	(시험 삼아) ❷ [　　　]
	+ to부정사	~하려고 노력하다

답 ❶ 후회하다 ❷ ~해 보다

핵심정리 16 동명사의 관용적 표현

on -ing	~하자마자
❶ [　　　] -ing	~하러 가다
keep (on) -ing	계속 ~하다
be worth -ing	~할 만한 가치가 있다
be used to -ing	~하는 데 익숙하다
have difficulty[trouble] -ing	~하느라 고생하다
far ❷ [　　　] -ing	전혀 ~이 아닌
be busy -ing	~하느라 바쁘다
feel like -ing	~하고 싶다
It is no use -ing	~해도 소용없다
keep[prevent] ... from -ing	...가 ~하는 것을 막다
make a point of -ing	~하는 것을 규칙[습관]으로 하다

답 ❶ go ❷ from

14 핵심 정리 예문

1 **Having** breakfast <u>is</u> good for your health.
(아침을 먹는 것은 건강에 좋다.)

2 My dream is **becoming** a famous actor.
(내 꿈은 유명한 배우가 되는 것이다.)

3 He apologized to me for **not keeping** his promise.
(그는 약속을 지키지 않은 것에 대해 나에게 사과했다.)

4 Do you mind ❶_____ **using** your phone?
(제가 당신의 전화기를 사용해도 될까요?)

5 She denied ❷_____ **taken** the purse from my bag.
(그녀는 내 가방에서 지갑을 가져갔던 것을 부인했다.)

답 ❶ my ❷ having

13 핵심 정리 예문

1 ❶_____ is possible **for him to complete** his mission.
(그가 그의 임무를 완수하는 것은 가능하다.)

2 Social media makes **it** easier ❷_____ **us to communicate** with others.
(소셜 미디어는 우리가 다른 사람들과 의사소통하는 것을 더 쉽게 한다.)

3 It is very kind ❸_____ **you to help** me.
(나는 도와주다니 너는 아주 친절하구나.)

답 ❶ It ❷ for ❸ of

16 핵심 정리 예문

1 **On arriving** home, she turned on the computer.
(집에 오자마자 그녀는 컴퓨터를 켰다.)

2 He **is used to going** to bed late.
(그는 늦게 자는데 익숙하다.)

3 She **was busy** ❶_____ for the test.
(그녀는 시험 공부를 하느라 바빴다.)

4 **It is no use worrying** about what you have done.
(당신이 한 일에 대해 걱정해도 소용없다.)

5 Cold weather **kept** us ❷_____ **playing** outside.
(추운 날씨가 우리를 밖에 나가 놀지 못하게 했다.)

답 ❶ studying ❷ from

15 핵심 정리 예문

1 She **finished** ❶_____ her homework.
(그녀는 숙제하는 것을 끝냈다.)

2 I **remember plying** tennis with Amy.
(나는 Amy와 테니스 쳤던 것을 기억한다.)

3 Don't **forget** ❷_____ the medicine on time.
(제시간에 그 약을 먹는 것을 잊지 마라.)

4 Do you **mind my opening** the window?
(제가 창문을 열어도 될까요?)

5 He **decided to grow** his hair.
(그는 머리를 기르기로 결정했다.)

답 ❶ doing ❷ to take

자르는 선

수능 영어에 다가가는 완벽한 첫걸음!

시작은 **하루 수능 영어**

간결하고 체계적인 구성

하루 6쪽, 일주일에 5일!
4주 20일 완성의 간결한 구성으로
단기간에 수능 영어 입문!

쉽고 재미있는 영어 공부

쉬운 개념과 재미있는 만화,
부담 없는 하루 분량으로
혼자서도 지루하지 않게 자기주도학습!

최적의 수능 입문서

수능 영어가 어렵게 느껴진다면?
꼭 필요한 기초 요소만 다룬
최적의 수능 맛보기 교재로 START!

수능 영어가 궁금한 사람들 모두 여기 주목!! (구문 기초/유형 기초/어휘·어법)

book.chunjae.co.kr

교재 내용 문의 ·················· 교재 홈페이지 ▸ 고등 ▸ 교재상담

교재 내용 외 문의 ·················· 교재 홈페이지 ▸ 고객센터 ▸ 1:1문의

발간 후 발견되는 오류 ·············· 교재 홈페이지 ▸ 고등 ▸ 학습지원 ▸ 학습자료실

7일 끝

시험 대비 어법 기초

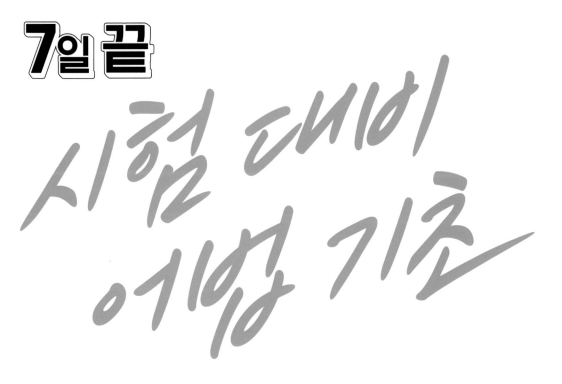

천재교육

언제나 만점이고 싶은 친구들 ─────────────

Welcome!

숨 돌릴 틈 없이 찾아오는 시험과 평가.
성적과 입시 그리고 미래에 대한 걱정.
중·고등학교에서 보내는 6년이란 시간은
때때로 힘들고, 버겁게 느껴지곤 해요.

그런데 여러분, 그거 아세요?
지금 이 시기가 노력의 대가를
가장 잘 확인할 수 있는 시간이라는 걸요.

안 돼, 못하겠어, 해도 안 될 텐데-
어렵게 생각하지 말아요. 천재교육이 있잖아요.
첫 시작의 두려움을 첫 마무리의 뿌듯함으로 바꿔줄게요.

펜을 쥐고 이 책을 펼친 순간
여러분 앞에 무한한 가능성의 길이 열렸어요.

우리와 함께 꽃길을 향해 걸어가 볼까요?

#시험대비
#핵심정복

7일 끝
시험 대비
어법 기초

Chunjae
Makes
Chunjae

▼

편집개발   고명희, 김창숙
제작   황성진, 조규영

발행일   2021년 4월 15일 초판 2021년 4월 15일 1쇄
발행인   (주)천재교육
주소   서울시 금천구 가산로9길 54
신고번호   제2001-000018호
고객센터   1577-0902
교재 내용문의 (02)3282-8837

이 책의 구성과 활용

일별 시험 공부

생각 열기 + 단어 미리 보기

만화를 통해 본격적인 공부에 앞서 학습 내용을 가볍게 짚고 넘어갈 수 있습니다.

❶ Quiz | 간단한 퀴즈를 통해 기본적인 내용을 알고 있는지 확인하기

❷ 배울 내용 | 오늘 공부할 학습 내용 확인하기

❸ 단어 미리 보기 | 오늘 학습에 필요한 단어 확인하기

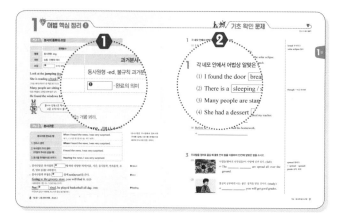

어법 핵심 정리 + 기초 확인 문제

꼭 알아야 어법 핵심 내용을 공부하고, 기초 확인 문제를 통해 개념을 잘 이해했는지 꼼꼼히 확인할 수 있습니다.

❶ 어법 핵심 정리 | 빈칸 문제를 채우며 핵심 내용 체크하기

❷ 기초 확인 문제 | 어법 핵심 정리 내용에 대한 기초 확인 문제 풀기

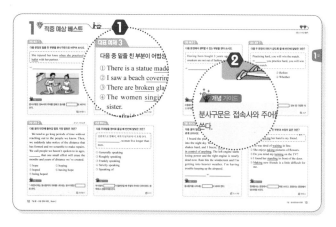

적중 예상 베스트

학교 시험 유형의 대표 예제를 연습하여 학교 시험에 효과적으로 대비할 수 있습니다.

❶ 기출 지문 활용 | 전국연합학력평가의 기출 지문을 활용하여 학교 시험 문제 유형 익히기

❷ 개념 가이드 | 빈칸을 채우며 문제를 푸는 데 도움이 되는 개념 확인하기

시험 공부 마무리 테스트

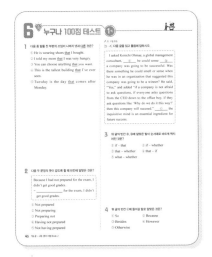

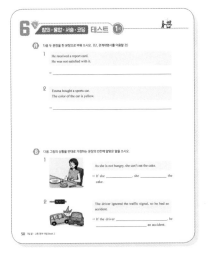

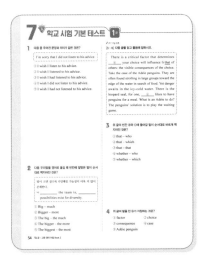

누구나 100점 테스트

아주 쉬운 예상 문제로 100점에 도전하여 시험
에 대한 자신감을 키울 수 있습니다.

창의·융합·서술·코딩 테스트

쉽고 다양한 서술형 문제를 통해 어렵게 느껴지는
서술형 문제에 대한 자신감을 키울 수 있습니다.

학교 시험 기본 테스트

학교 시험 유형의 예상 문제를 풀어봄으로써
내신에 대한 자신감을 키울 수 있습니다.

시험 직전까지 챙겨야 할 부록

💎 핵심 정리 총집합 카드

가장 중요한 핵심 내용만 모아 카드 형식으로 수록하였습니다.
휴대하여 이동할 때나 시험 직전에 활용할 수 있습니다.

💎 어휘 목록 / 어휘 테스트

7일 동안 학습한 어휘를 정리하고 테스트를 통해 확인할 수 있
도록 했습니다.

이 책의 차례

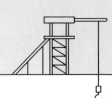

1 일 분사와 분사구문

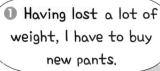

① Having lost a lot of weight, I have to buy new pants.

② Good for you.

③ Buying these pants today, you will get a 10 percent discount.

④ You're lucky today.

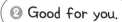

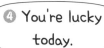

① 살이 많이 빠져서 나는 새 바지를 사야 해. ② 좋겠다.
③ 오늘 이 바지를 사시면 10% 할인을 받으실 수 있어요. ④ 너 오늘 운이 좋구나.

Quiz

1 분사는 형용사처럼 | 동사 / 명사 | 를 수식한다.

2 현재분사는 능동·진행의 의미를, 과거분사는 | 수동·완료 / 능동·완료 | 의 의미를 나타낸다.

답 **1** 명사 **2** 수동·완료

단어
미리 보기

check~

☐ **blue**   *a.* 우울한

☐ **board**   *v.* 탑승[승선/승차]하다

☐ **break**   *v.* 부서지다

break

☐ **distance**   *n.* 거리

☐ **effort**   *n.* 수고, 노력

effort

☐ **freeze**   *v.* 얼다, 얼리다

☐ **grade**   *n.* 성적, 학점

☐ **hospitalize**   *v.* 입원시키다

☐ **injured**   *a.* 다친, 부상을 입은

☐ **nearly**   *ad.* 거의

nearly

☐ **period**   *n.* 기간

☐ **pollution**   *n.* 오염, 오염 물질

pollution

☐ **raise**   *v.* 기르다, 키우다

☐ **recipe**   *n.* 요리법, 조리법

recipe

☐ **seriously**   *ad.* 심각하게

☐ **sneakers**   *n.* 운동화

☐ **solar eclipse**   일식

☐ **spread**   *v.* 펼치다

spread

☐ **statue**   *n.* 조각상

☐ **though**   *con.* ~이긴 하지만

☐ **wallet**   *n.* 지갑

☐ **windscreen**   *n.* (자동차의) 앞 유리

☐ **have trouble -ing**   ~하는 데 어려움이 있다

☐ **out of fashion**   유행에 뒤떨어진

☐ **take off**   이륙하다

☐ **wait in line**   줄을 서서 기다리다

개념 1 분사의 종류와 쓰임

	현재분사	과거분사
형태	동사원형 -ing	동사원형 -ed, 불규칙 과거분사형
의미	능동·진행의 의미	❶ ____ ·완료의 의미
쓰임	❷ ____ 수식, 보어 역할	

❶ 수동

❷ 명사

Look at the jumping dog. 〈명사 수식〉 뛰고 있는 개를 봐라.

She is reading a book ❸ ____ by Shakespeare. 〈명사 수식〉

그녀는 셰익스피어가 쓴 책을 읽고 있다.

❸ written

Many people are sitting watching the show. 〈주격 보어〉

많은 사람들이 공연을 보며 앉아 있다.

He found the windows broken. 〈목적격 보어〉 그는 창문이 깨진 것을 발견했다.

> 분사가 단독으로 명사를 수식할 때는 명사 앞에서 수식하고,
> 다른 수식어구가 붙어 길어지면 명사 뒤에서 수식해요.

개념 2 분사구문

분사구문 만드는 법	When I heard the news, I was very surprised. 내가 그 소식을 들었을 때 나는 매우 놀랐다.
1. 접속사 생략	~~When~~ I heard the news, I was very surprised.
2. 부사절의 주어 생략 (주절의 주어와 같을 때)	~~I~~ heard the news, I was very surprised.
3. 동사를 현재분사로 바꾸기	**Hearing** the news, I was very surprised.

* 분사구문은 부사절에서 접속사와 주어를 없애고 동사를 현재분사로 바꾸어 부사구로 만든 것이다.

- 분사구문은 부사절의 ❹ ____ 에 따라 다양한 의미(이유, 시간, 동시동작, 연속동작, 조건, 양보 등)를 나타낸다.

❹ 접속사

- 분사구문의 부정은 ❺ ____ 앞에 not[never]을 쓴다.

❺ 분사

Going to the grocery store, you will find it. 〈조건〉

식료품점에 가면 너는 그것을 찾을 것이다.

Not ❻ ____ tired, he played basketball all day. 〈이유〉

피곤하지 않았기 때문에 그는 하루 종일 농구를 했다.

❻ feeling

기초 확인 문제

정답과 해설 **64**쪽

1일

1 각 네모 안에서 어법상 알맞은 것을 고르시오.

(1) I found the door breaking / broken .

(2) There is a sleeping / slept cat under the table.

(3) Many people are standing watching / watched the solar eclipse.

(4) She had a dessert calling / called macaroon after lunch.

break 부서지다
solar eclipse 일식

2 밑줄 친 부분을 분사구문으로 바꾸어 쓰시오.

(1) <u>If you go to the market</u>, you can buy it.

➡ _____

(2) <u>Though she ran to school</u>, she was late for school.

➡ _____

(3) <u>As I didn't know how to solve the problem</u>, I asked my teacher.

➡ _____

(4) <u>Before he went to bed</u>, he finished his homework.

➡ _____

though ~이긴 하지만

3 우리말을 영어로 옮길 때 괄호 안의 말을 이용하여 빈칸에 알맞은 말을 쓰시오.

(1)

낙엽들(떨어진 나뭇잎들)이 사방에 널려 있다. (fall)

➡ The _____ _____ are spread all over the ground.

(2)

열심히 공부하면 너는 좋은 성적을 받을 것이다. (study)

➡ _____ _____, you will get good grades.

spread 펼치다
(– spread – spread)
grade 성적, 학점

어법 핵심 정리 ❷

개념 3 분사구문의 시제와 태

	단순 분사구문	완료 분사구문
능동태	현재분사 ~	having + 과거분사
수동태	being + 과거분사	having ❶⬜ + 과거분사

❶ been

• 완료 분사구문은 부사절의 시제가 주절보다 앞선 시제일 때 쓴다. 부정은 'not[never] + ❷⬜ + 과거분사'의 형태로 쓴다.

❷ having

❸⬜ lost my key, I can't open the door.

❸ Having

열쇠를 잃어버렸기 때문에 나는 문을 열 수가 없다.

(Being) Surprised by the news, he tried to be calm.

그 소식에 놀랐지만 그는 침착하려고 노력했다.

> **Tip**
> 수동태의 분사구문에서는 보통 Being 또는 Having been을
> 생략하고 과거분사로 시작해요.

개념 4 주의해야 할 분사구문

독립분사구문	부사절과 주절의 주어가 다를 때 부사절의 주어를 생략하지 않고 분사 앞에 쓴 것
비인칭 독립분사구문	부사절의 주어가 일반인(we, you 등)일 때 주절의 주어와 다르더라도 생략하고 관용어처럼 쓰는 것 generally[frankly / strictly / roughly] speaking: 일반적으로[솔직히 / 엄밀히 / 대충] 말하면 judging from: ~로 판단하면 considering: ~을 고려하면

with + 명사(구) + 현재분사	~가 …하고 있는 채로 (명사구와 분사가 능동 관계)
with + 명사(구) + 과거분사	~가 …하여진 채로 (명사구와 분사가 ❹⬜ 관계)

❹ 수동

The weather being fine, we will go on a picnic tomorrow.

날씨가 좋으면 우리는 내일 소풍을 갈 것이다.

❺⬜ speaking, it's your fault. 엄밀히 말해서 그것은 너의 잘못이다.

❺ Strictly

She is sitting **❻⬜ her arms crossed**. 그녀는 팔짱을 낀 채로 앉아 있다.

❻ with

4 각 네모 안에서 어법상 알맞은 것을 고르시오.

raise 기르다, 키우다
wallet 지갑

(1) Be raised / Raised in China, he speaks Chinese well.

(2) Lost / Having lost her wallet, she couldn't buy the train ticket.

(3) Not having / Having not studied hard, he failed the test.

(4) It being / Being snowy, I stayed at home.

5 밑줄 친 부분을 분사구문으로 바꾸어 쓰시오.

blue 우울한
bottle 병
injured 다친, 부상을 입은
hospitalize 입원시키다

(1) When it is rainy, I sometimes feel blue.

➡ _____

(2) Though I drank a bottle of water, I am still thirsty.

➡ _____

(3) Though the concert was over, people didn't go home.

➡ _____

(4) Because he was seriously injured, he was hospitalized.

➡ _____

6 우리말을 영어로 옮길 때 빈칸에 알맞은 말을 쓰시오.

recipe 요리법, 조리법

(1) 솔직히 말해서, 나는 그의 요리법이 마음에 들지 않는다.

➡ _____ _____, I don't like his recipes.

(2) 그녀는 눈을 감은 채로 음악을 듣고 있다.

➡ She is listening to music _____ her eyes _____.

대표 예제 1

다음 문장의 밑줄 친 부분을 분사구문으로 바꾸어 쓰시오.

> She injured her knee <u>when she practiced ballet</u> with her partner.

➡ _____

개념 가이드

분사구문은 접속사와 주어를 없애고 동사를 [   ]로 바꾸어 쓴다.

답 현재분사

대표 예제 2

📝 고1 11월 응용

다음 글의 빈칸에 들어갈 말로 가장 알맞은 것은?

We tend to go long periods of time without reaching out to the people we know. Then, we suddenly take notice of the distance that has formed and we scramble to make repairs. We call people we haven't spoken to in ages, _____ that one small effort will erase the months and years of distance we've created.

① hope   ② hoping

③ hoped   ④ having hope

⑤ being hoped

개념 가이드

'~하면서'라는 동시동작의 의미를 나타내는 분사구문은 [   ]로 쓴다.

답 현재분사

대표 예제 3

다음 중 밑줄 친 부분이 어법상 **틀린** 것은?

① There is a statue <u>made</u> in the 1800s.

② I saw a beach <u>covering</u> with pollution.

③ There are <u>broken</u> glasses on the floor.

④ The women <u>singing</u> on the stage is my sister.

⑤ I'm afraid of the <u>barking</u> dog.

개념 가이드

현재분사는 능동·진행의 의미를 나타내고, 과거분사는 [   ]의 의미를 나타낸다.

답 수동·완료

대표 예제 4

다음 우리말을 영어로 옮길 때 빈칸에 알맞은 것은?

> 일반적으로 말해서, 여자가 남자보다 더 오래 산다.
> _____, women live longer than men.

① Generally speaking

② Roughly speaking

③ Frankly speaking

④ Strictly speaking

⑤ Speaking of

개념 가이드

부사절의 [   ]가 일반인일 때 주절의 주어와 다르더라도 생략하고 관용어처럼 쓴다.

답 주어

대표 예제 5

다음 문장에서 생략할 수 있는 부분을 찾아 쓰시오.

> Having been bought 3 years ago, these sneakers are not out of fashion now.

➡ _____

✦ **개념 가이드**

수동태의 분사구문에서는 보통 Being 또는 [   ]을 생략하고 과거분사로 시작한다.

답 Having been

대표 예제 7

다음 두 문장의 의미가 같도록 할 때 빈칸에 알맞은 것은?

> Practicing hard, you will win the match.
> ➡ _____ you practice hard, you will win the match.

① Though   ② Before
③ If   ④ Whether
⑤ While

✦ **개념 가이드**

분사구문은 이유, 시간, 동시동작, [   ], 양보 등 다양한 의미를 나타낸다.

답 조건

대표 예제 6 ✎ 고1 9월 응용

다음 글의 밑줄 친 부분에서 어법상 틀린 부분을 찾아 바르게 고치시오.

  I board the plane, take off, and climb out into the night sky. Within minutes, the plane shakes hard, and I freeze, <u>feel like I'm not in control of anything</u>. The left engine starts losing power and the right engine is nearly dead now. Rain hits the windscreen and I'm getting into heavier weather. I'm having trouble keeping up the airspeed.

_____ ➡ _____

✦ **개념 가이드**

동시동작을 나타내는 [   ]이 되어야 한다.

답 분사구문

대표 예제 8

다음 중 〈보기〉의 밑줄 친 부분과 쓰임이 같은 것은?

> ● 보기 ●
> The girl <u>waving</u> her hand is my friend.

① He was tired of <u>waiting</u> in line.
② She enjoys <u>taking</u> pictures of flowers.
③ Do you mind my <u>turning</u> on the TV?
④ I found her <u>standing</u> in front of the door.
⑤ <u>Making</u> new friends is a little difficult for me.

✦ **개념 가이드**

현재분사는 문장에서 [   ]처럼 쓰이고, 동명사는 문장에서 명사처럼 쓰인다.

답 형용사

2일 접속사

생각 열기

❶ Oh, my god! If I don't hurry up, I'll be late for school.

❷ Hey, where are you going in such a hurry?

❸ Hurry up. Otherwise we'll be late for school.

❹ What are you talking about? Today is the school anniversary, so there's no class.

❶ 세상에! 서두르지 않으면 학교에 지각하겠어.   ❷ 얘, 너 어디를 그렇게 급하게 가니?
❸ 서둘러. 그렇지 않으면 우리는 학교에 지각할 거야.   ❹ 무슨 말을 하는 거야? 오늘은 개교기념일이라서 수업이 없어.

Quiz

1 시간이나 조건의 부사절에서는 ｜ 현재 시제 / 미래 시제 ｜로 미래의 의미를 나타낸다.

2 접속사 that이 이끄는 명사절은 주어, 보어, ｜ 수식어 / 목적어 ｜의 역할을 한다.

답 1 현재 시제 2 목적어

단어 미리 보기

- [ ] **additional** *a.* 추가의
- [ ] **article** *n.* 글, 기사
- [ ] **conduct** *v.* (활동을) 하다 *n.* 행동
- [ ] **consult** *v.* 상담하다

  consult

- [ ] **consumer** *n.* 소비자
- [ ] **contain** *v.* ~이 들어 있다

  Contain

- [ ] **expert** *n.* 전문가
- [ ] **generally** *ad.* 일반적으로
- [ ] **identify** *v.* 확인하다, 알아보다
- [ ] **motivate** *v.* 동기를 부여하다

  Motivate

- [ ] **negotiation** *n.* 협상, 협의
- [ ] **omission** *n.* 생략, 빠짐
- [ ] **potential** *a.* 가능성이 있는

- [ ] **receive** *v.* 받다, 받아들이다

  receive

- [ ] **reduce** *v.* 줄이다, 낮추다

  reduce

- [ ] **reply** *n.* 대답, 답장
- [ ] **stomachache** *n.* 복통, 위통
- [ ] **strategy** *n.* 계획, 전략
- [ ] **subject** *n.* 주제, 문제

  subject

- [ ] **uncomfortable** *a.* 불편한
- [ ] **unrelated** *a.* 관련 없는
- [ ] **valuable** *a.* 소중한, 귀중한
- [ ] **variety** *n.* 여러 가지, 다양성
- [ ] **wisdom** *n.* 지혜, 현명함
- [ ] **worthwhile** *a.* 가치 있는
- [ ] **deal with** ~을 다루다

2일 어법 핵심 정리 ❶

개념 1 상관접속사

both A and B	A와 B 둘 다
not A but B	A가 아니라 B
not only A but (also) B (= B as well as A)	A뿐만 아니라 B도
either A or B	A 또는 B 둘 중 하나
neither A nor B	A도 B도 아닌

● 상관접속사는 두 개 이상의 단어가 짝을 이루는 접속사를 말한다.

- 상관접속사가 연결하는 말이 주어일 때는 동사의 수를 B에 맞추고, both *A* and *B*는 **❶**[   ] 로 취급한다.

❶ 복수

  I **as well as** Amy **❷**[   ] like eating vegetables.
  Amy뿐만 아니라 나도 채소 먹는 것을 좋아하지 않는다.

❷ don't

  Both Jason **and** Jimmy **❸**[   ] going to the library.
  Jason과 Jimmy 둘 다 도서관에 갈 것이다.

❸ are

Tip: 상관접속사는 문법적으로 동등한 요소를 연결해요.

개념 2 명사절을 이끄는 접속사 (간접의문문)

	that + 주어 + 동사	주어, 보어, 목적어 역할
간접 의문문	**if[whether]** + 주어 + 동사	의문사가 없는 경우
	의문사 + 주어 + 동사	의문사가 접속사 역할

● 간접의문문은 의문문이 다른 문장의 일부(주로 목적어)가 된 것을 말한다.

- 접속사 that이 이끄는 절이 **❹**[   ] 역할을 할 때 that은 생략할 수 있다.

❹ 목적어

- 접속사 that이 이끄는 명사절이 주어 역할을 할 때 보통 가주어 **❺**[   ] 을 주어 자리에 쓰고 that절은 문장 끝에 쓴다.

❺ it

- 의문사가 있는 간접의문문에서 주절의 동사가 think, believe, guess, imagine, suppose 등일 때에는 '의문사 + do you think[believe ...] + 주어 + 동사 ...?'의 형태로 쓴다.

  Is it true **that** Sam lied to me? Sam이 나에게 거짓말했다는 것이 사실이니?

  She wonders **❻**[   ] the bookstore is open. 그녀는 그 서점이 문을 열었는지 궁금하다.

❻ if[whether]

  I don't know **what** I can do for you. 나는 내가 너를 위해 무엇을 할 수 있는지 모르겠다.

  When do you guess he will come back? 너는 그가 언제 돌아올 것이라고 추측하니?

2일

1 각 네모 안에서 어법상 알맞은 것을 고르시오.

(1) I as well as Brian is / am listening to music.

(2) Both Sally and her sister have / has blond hair.

(3) The problem is that / what I lost my password.

(4) I don't know where does he live / where he lives .

blond 금발인
password 암호, 비밀번호

2 어법상 **틀린** 부분을 찾아 바르게 고쳐 쓰시오.

(1) Not only a pencil but also an eraser are needed.

_____ ➡ _____

(2) He neither drinks or smokes. So he is very healthy.

_____ ➡ _____

(3) I wonder what did you do yesterday.

_____ ➡ _____

(4) Do you think what she does in her free time?

_____ ➡ _____

eraser 지우개
smoke (담배를) 피우다
free time 여가 시간, 자유 시간

3 우리말을 영어로 옮길 때 빈칸에 알맞은 말을 쓰시오.

(1)  그녀는 미국 출신이 아니라 캐나다 출신이다.

➡ She is _____ from the U.S. _____ from Canada.

absent 결석한

(2) 너는 그가 왜 결석했는지 아니?

➡ _____ _____ _____ he was absent from school?

개념 3 부사절을 이끄는 접속사

시간	when	~할 때	이유	because	~ 때문에	조건	if	만약 ~라면
	while	~하는 동안		as			unless	만약 ~ 아니라면
	until	~할 때까지		since		양보	though	
	as	~하면서	결과	so	그래서		although	비록 ~이지만, ~에도 불구하고
	since	~ 이후로		so ~ that	매우 ~해서 …하다		even though	
	as soon as	~하자마자		so ~ that … can / can't	매우[너무] ~해서 …할 수 있다/없다	목적	so that / in order that	~하기 위해

- 시간이나 조건의 부사절에서는 [①] 시제로 미래의 의미를 나타낸다.

He turned on the TV as [②] **as he got home.** 그는 집에 오자마자 TV를 켰다.

Unless you believe, you will not understand. 믿지 않으면 이해하지 못할 것이다.

The car is so expensive [③] **I can't buy it.** 그 차는 너무 비싸서 나는 그것을 살 수 없다.

- 부사절은 주절의 앞이나 뒤에 쓰일 수 있고, 주절의 앞에 올 경우에는 콤마(,)를 써야 한다.

- so ~ that … can
  = ~ enough + to부정사
- so ~ that … can't
  = too ~ to부정사

① 현재

② soon

③ that

개념 4 접속부사

결과	therefore	그러므로	첨가	also	또한	양보·대조	however	하지만
	as a result	결과적으로		besides	게다가		nevertheless	그럼에도 불구하고
	consequently			in addition			on the other hand	반면에
	thus	따라서		furthermore	더욱이	기타	then	그러고 나서
	accordingly	그래서		moreover			otherwiese	그렇지 않으면

- 접속부사는 두 개의 개별적인 문장을 의미상 자연스럽게 연결하는 부사이다. 단어, 구, 절 등 문법적으로 대등한 요소를 연결하는 접속사와 역할을 구분해야 한다.

She made a big mistake. [④] **a result, she lost her job.**
그녀는 큰 실수를 했다. 그 결과, 그녀는 직업을 잃었다.

He has to clean the room. [⑤] **addition, he has to wash the dishes.**
그는 방을 청소해야 한다. 게다가 그는 설거지도 해야 한다.

I don't like spinach. [⑥] **the other hand, my brother likes it very much.** 나는 시금치를 좋아하지 않는다. 반면에 내 남동생은 시금치를 아주 많이 좋아한다.

④ As

⑤ In

⑥ On

4 각 네모 안에서 알맞은 것을 고르시오.

(1) If / Unless you have a stomachache, take this medicine.

(2) You should hurry up. Besides / Otherwise you can't catch the train.

(3) When / Though I was in India, I went to see the Taj Mahal.

(4) My dog is very cute. Therefore / In addition , he is very smart.

stomachache 복통, 위통
hurry up 서두르다

2일

5 다음 두 문장의 의미가 같도록 빈칸에 알맞은 말을 쓰시오.

(1) The smartphone is too expensive for her to buy.

➡ The smartphone is _____ expensive _____ she _____ buy it.

(2) If you don't study hard, you won't get good grades.

➡ _____ you study hard, you won't get good grades.

(3) The sun is shining, but it is very cold.

➡ It is very cold _____ the sun is shining.

expensive 비싼
shine 빛나다, 비추다

6 우리말을 영어로 옮길 때 빈칸에 알맞은 말을 쓰시오.

(1)  나는 긴 생머리이다. 반면에 내 여동생은 짧은 곱슬머리이다.

➡ I have long straight hair. _____ _____

_____ _____, my sister has short curly

hair.

(2)  나는 공항에 도착하자마자 엄마에게 전화했다.

➡ I called my mother _____ _____

_____ I arrived at the airport.

straight 곧은
curly 곱슬곱슬한

대표 예제 1

다음 우리말과 일치하도록 빈칸에 알맞은 말을 쓰시오.

> 나는 야구뿐만 아니라 농구를 하는 것도 좋아한다.

➡ I like to play basketball _____ _____ _____ baseball.

개념 가이드

'A뿐만 아니라 B도'는 'B _____ well _____ A'로 표현한다.

답 as, as

대표 예제 2

고1 3월 응용

다음 글의 밑줄 친 부분 중 쓰임이 어색한 것은?

In negotiation, there often will be issues that you do not care about—①but that the other side cares about very much! It is important to identify these issues. For example, you may not care about ②whether you start your new job in June ③or July. But ④though your potential boss strongly prefers ⑤that you start as soon as possible, that's a valuable piece of information.

개념 가이드

'만약 ~라면'의 의미로 조건을 나타내는 접속사는 _____ 이다.

답 if

대표 예제 3

다음 문장에서 어법상 틀린 부분을 찾아 바르게 고쳐 쓰시오.

> Can you tell me how can I solve the math problem?

_____ ➡ _____

개념 가이드

의문사가 있는 경우 간접의문문은 '의문사 + _____ + _____ ~'의 어순으로 쓴다.

답 주어, 동사

대표 예제 4

고1 3월 응용

다음 글의 빈칸에 들어갈 말로 알맞은 것은?

A teacher once received a letter from a student, asking fourteen unrelated questions on a variety of subjects. The teacher wrote back a long reply in which he dealt with thirteen of the questions. He soon received a return letter from the student, who not only noted the omission, _____ expressed no thanks for what the teacher had written.

① and   ② but   ③ as
④ nor   ⑤ or

개념 가이드

'A뿐만 아니라 B도'는 'not only A _____ also B'로 표현한다. 이때 _____ 는 생략이 가능하다.

답 but, also

대표 예제 5

다음 두 문장의 의미가 같도록 빈칸에 알맞은 말을 쓰시오.

> She is rich enough to buy the car.
> = She is _____ rich _____ she _____
>   buy the car.

개념 가이드

'~ enough + to부정사'는 '매우 ~해서 …할 수 있다'라는 뜻의
'☐ ~ ☐ … can + 동사원형'으로 바꿔 쓸 수
있다.

답 so, that

대표 예제 7

다음 두 문장의 빈칸에 공통으로 들어갈 말을 쓰시오.

> • I wonder _____ you can come to the
>   meeting.
> • _____ it snows tomorrow, I'll make a
>   snowman.

➡ _____

개념 가이드

의문사가 없는 간접의문문을 이끄는 역할을 하며, 조건의 부사절을
이끄는 접속사는 ☐ 이다.

답 if

대표 예제 6 ✎ 고1 3월 응용

다음 글의 빈칸에 들어갈 수 <u>없는</u> 것은?

　Consumers are generally uncomfortable
with taking high risks. _____, they are
usually motivated to use a lot of strategies
to reduce risk. Consumers can collect
additional information by conducting online
research, reading news articles, talking to
friends or consulting an expert.

① Thus
② Accordingly
③ Therefore
④ As a result
⑤ Otherwise

개념 가이드

앞 문장의 내용에 대한 ☐ 의 내용이 뒤에 이어지므로
☐ 를 나타내는 접속부사가 들어가야 한다.

답 결과, 결과

대표 예제 8 ✎ 고1 3월 응용

다음 글의 빈칸에 알맞은 말이 순서대로 짝지어진 것은?

　Take time to read the comics. This is
worthwhile not just because they will make
you laugh but _____ they contain wisdom
about the nature of life. _____ you read
the comics section of the newspaper, cut
out a cartoon that makes you laugh. Post it
wherever you need it most.

① as – Since
② if – When
③ because – When
④ as – So
⑤ because – Unless

개념 가이드

상관접속사는 문법적으로 동등한 요소를 연결한다. '~할 때'라는 의
미로 시간의 부사절을 이끄는 접속사는 ☐ 이다.

답 when

3_일 관계사

① Rabbits are cute animals whose ears are long.

② Polar bears are white bears which live in the North Pole.

③ Owls are animals that are inactive during the daytime.

④ Wild boars can eat whatever they want.

① 토끼는 귀가 긴 귀여운 동물이다.　② 북극곰은 북극에 사는 흰색 곰이다.
③ 부엉이는 낮에는 활동하지 않는 동물이다.　④ 멧돼지는 그들이 원하는 것은 무엇이든지 먹을 수 있다.

Quiz

1 선행사가 동물일 때 주격 관계대명사는 [who / which]를 쓴다.

2 선행사의 종류에 관계없이 쓸 수 있는 관계대명사는 [which / that]이다.

답 **1** which **2** that

단어 미리 보기

check~

- [ ] accident *n.* 사고
- [ ] attack *n.* 폭행, 공격

  attack
- [ ] attain *v.* 이루다, 획득하다
- [ ] audience *n.* 관중, 시청자

  audience
- [ ] chase *v.* 뒤쫓다, 추적하다
- [ ] deaf *a.* 귀가 먹은, 청각 장애가 있는
- [ ] emotion *n.* 감정, 정서

  emotion
- [ ] fail *v.* 실패하다
- [ ] fence *n.* 울타리, 장애물
- [ ] fierce *a.* 사나운, 험악한
- [ ] frequently *ad.* 자주, 흔히
- [ ] heaven *n.* 천국, 하늘나라
- [ ] hunter *n.* 사냥꾼

- [ ] inconvenience *n.* 불편, 애로
- [ ] knock *v.* 두드리다, 노크하다

  knock
- [ ] lamb *n.* 어린 양
- [ ] own *v.* 소유하다
- [ ] pose *v.* (문제 등을) 제기하다
- [ ] positive *a.* 긍정적인
- [ ] repeat *v.* 반복하다

  request
- [ ] request *v.* 요청하다, 신청하다
- [ ] settle *v.* 해결하다, 합의를 보다

  settle
- [ ] severely *ad.* 심하게, 엄하게
- [ ] be likely to ~할 것 같다
- [ ] get fired 해고되다
- [ ] get married 결혼하다

3일 어법 핵심 정리 ①

개념 1 관계대명사의 종류와 역할

선행사 \ 격	주격	소유격	목적격
사람	who	whose	who(m)
사물, 동물	which	whose / of which	which
사람, 사물, 동물	that	–	that
선행사 포함	what	–	❶

주격 관계대명사	+ 동사	She has a brother **who** plays basketball well. 그녀는 농구를 잘 하는 남동생이 있다.
소유격 관계대명사	+ 명사	I have a friend **whose** hobby is surfing. 나는 취미가 파도타기인 친구가 있다.
목적격 관계대명사	+ 주어 + 동사	He is eating spaghetti **which** his mom made. 그는 엄마가 만들어주신 스파게티를 먹고 있다.

- 주격, 소유격, 목적격 관계대명사는 관계사절 안에서 각각 주어, 소유격, ❷ 역할을 한다.
- 관계대명사 what이 이끄는 절은 명사처럼 주어, 보어, 목적어 역할을 하며 '~하는 것'으로 해석한다. I couldn't understand ❸ he said. 나는 그가 말한 것을 이해할 수 없었다.

* 선행사에 '사람 + 사물', '사람 + 동물', all, the only, -thing, -body, -one, 최상급, 서수가 있으면 주로 관계대명사 that을 쓴다.

❶ what

* 선행사가 전치사의 목적어일 때 '전치사 + 관계대명사'의 형태로 쓰거나, 전치사를 관계사절 맨 끝에 쓴다.
* 전치사가 앞에 있을 때는 관계대명사 that을 쓸 수 없다.

❷ 목적어
* 관계대명사 what은 선행사가 없고, the thing(s) which[that]로 바꿔 쓸 수 있다.

❸ what

개념 2 관계대명사의 생략 / 관계대명사의 용법

'주격 관계대명사 + be동사' 생략 가능	Look at the boy (**who is**) dancing over there. 저기서 춤추고 있는 소년을 봐.
목적격 관계대명사 생략 가능	I found the bag (**which**) I had lost. 나는 잃어버렸던 가방을 찾았다.

제한적 용법	계속적 용법
선행사를 직접 수식	선행사에 대해 보충 설명
관계사 앞에 콤마(,) 없음	관계사 앞에 콤마(,) 있음
She has two sons **who** are lawyers. 그녀는 변호사인 아들이 두 명 있다. (아들 둘 이상일 수 있음)	She has two sons, ❹ are lawyers. 그녀는 아들이 둘 있는데, 그들은 변호사이다. (아들이 둘뿐임)

* 전치사가 목적격 관계대명사 바로 앞에 쓰인 경우에는 목적격 관계대명사를 생략할 수 없다.

❹ who

- 계속적 용법으로 쓰인 관계대명사는 생략할 수 없고, 관계대명사 ❺ , what은 계속적 용법으로 쓸 수 없다.

❺ that

3일

1 각 네모 안에서 어법상 알맞은 것을 고르시오.

(1) Do you know the man | who / whose | is standing over there?

(2) I returned the book | of which / that | I had borrowed from my friend.

(3) This is | that / what | I have been looking for.

(4) Heaven helps those who | help / helps | themselves.

return 돌려주다
borrow 빌리다
look for ~을 찾다
heaven 천국, 하늘나라

2 밑줄 친 부분을 어법상 바르게 고쳐 쓰시오.

(1) I can't believe <u>that</u> I've just heard. ➡ _____

(2) This is the building in <u>that</u> my mother works. ➡ _____

(3) He lives in the house <u>which</u> roof is red. ➡ _____

(4) Ann has a sister, <u>that</u> is a famous actor. ➡ _____

roof 지붕

3 우리말과 일치하도록 괄호 안의 말을 바르게 배열하여 쓰시오.

(1)

그는 자주 필요하지 않은 물건을 산다.

(often, he, doesn't, things, he, buys, need).

➡ _____

(2)

그녀는 나에게 내가 갖고 싶었던 것을 주었다.

(what, gave, she, me, I, to have, wanted).

➡ _____

개념 3 관계부사

	선행사	관계부사	전치사 + 관계대명사
시간	the time, the day, the year 등	when	at / in / on + which
장소	the place, the city, the house 등	where	in / at / on + which
이유	the reason	why	for which
방법	(the way)	how	in which

- 관계부사는 선행사를 수식하는 절을 이끌며 접속사와 **❶** 의 역할을 한다.
- 관계부사 **❷** 와 선행사 the way는 함께 쓸 수 없으며, 둘 중 하나는 생략해야 한다.

I remember the day **when** I first met you. 나는 너를 처음 만났던 날을 기억한다.

This is the town **❸** I spent my childhood. 이곳은 내가 어린 시절을 보낸 도시이다.

- 관계부사는 '전치사 + 관계대명사'로 바꿔 쓸 수 있다.
- 선행사가 the time, the place, the reason과 같이 일반적일 때는 관계부사와 선행사 중 하나를 생략할 수 있다.

❶ 부사

❷ how

❸ where

개념 4 복합관계사

복합 관계대명사	명사절	양보의 부사절
who(m)ever	anyone who(m) (~하는 사람은 누구든지)	no matter who(m) (누가[누구를] ~하더라도)
whichever	anything which (~하는 것은 어느 것이든지)	no matter **❹** (어느 것이[어느 것을] ~하더라도)
whatever	anything that (~하는 무엇이든지)	no matter what (무엇이[무엇을] ~하더라도)

- 복합 관계대명사는 주어나 목적어 역할을 하는 명사절이나 양보의 **❺** 을 이끌고, 복합 관계대명사가 주어일 때는 단수 동사를 쓴다.

You can get **❻** you want. 너는 원하는 것은 무엇이든지 얻을 수 있다.

- 복합 관계대명사와 복합 관계부사는 모두 자체에 선행사를 포함하고 있다.

❹ which

❺ 부사절

❻ whatever

복합 관계부사	시간, 장소의 부사절	양보의 부사절
whenever	at any time when (~할 때마다)	no matter when (언제 ~하더라도)
wherever	at any place where (~하는 곳은 어디나)	no matter where (어디에[어디로] ~하더라도)
however	–	no matter how (아무리 ~하더라도)

- however는 대개 'however + 형용사/부사 + 주어 + 동사'의 어순으로 쓴다.

Wherever he goes, I follow him. 그가 어디에 가더라도 나는 그를 따라간다.

4 각 네모 안에서 어법상 알맞은 것을 고르시오.

(1) This is the road | when / where | the accident happened.

(2) I don't know the reason | how / why | you are angry.

(3) | Whoever / Whichever | knocks on the door, never open it.

(4) I don't believe | which / whatever | he says.

accident 사고
knock 두드리다, 노크하다

5 어법상 어색한 곳을 찾아 바르게 고쳐 쓰시오.

(1) Can you explain the way how this copy machine works?

_____ ➡ _____

(2) 2015 was the year whenever they got married.

_____ ➡ _____

(3) That's the reason how she got fired.

_____ ➡ _____

(4) My dog follows me whatever I go.

_____ ➡ _____

copy machine 복사기
work 작동되다
get married 결혼하다
get fired 해고되다

6 우리말과 일치하도록 괄호 안의 말을 바르게 배열하여 쓰시오.

(1)

이것은 나의 할머니가 사시는 집이다.

(grandmother, this, where, is, my, the house, lives).

➡ _____

(2)

그가 세차할 때마다 비가 온다.

(he, it, whenever, washes, car, rains, his).

➡ _____

대표 예제 1

다음 우리말과 일치하도록 괄호 안의 말을 바르게 배열하여 쓰시오.

> 7월은 비가 많이 오는 달이다.
> (we, July, rainis, have, when, a lot of, the month).

➡ _____

개념 가이드

관계부사 [   ]이 이끄는 절은 시간을 나타내는 선행사를 수식한다.

답 when

대표 예제 2

다음 중 빈칸에 들어갈 말이 나머지 넷과 <u>다른</u> 것은?

① This is _____ I want to eat.
② It is _____ I have been looking for.
③ Please repeat _____ you've just said.
④ Everyone was surprised at _____ he had done.
⑤ I like the red shoes _____ you are wearing.

개념 가이드

관계대명사 [   ]은 선행사를 포함하며 명사처럼 주어, 보어, 목적어 역할을 하는 명사절을 이끈다.

답 what

대표 예제 3

주어진 문장과 의미가 같도록 빈칸에 알맞은 말을 쓰시오.

> No matter where I am, I always think of my mom.

➡ _____ _____ _____, I always think of my mom.

개념 가이드

양보의 부사절 no matter where ~는 복합관계부사 [   ]를 이용하여 바꿔 쓸 수 있다.

답 wherever

대표 예제 4

✎ 고1 9월 응용

다음 글의 밑줄 친 문장에서 생략된 말을 넣어 문장을 다시 쓰시오.

> <u>Attaining the life a person wants is simple.</u> However, most people settle for less than their best because they fail to start the day off right. If a person starts the day with a positive mindset, that person is more likely to have a positive day.

➡ _____

개념 가이드

'주격 관계대명사 + [   ]'는 생략이 가능하고, [   ] 관계대명사 또한 생략이 가능하다.

답 be동사, 목적격

3일

대표 예제 5

주어진 우리말과 일치하도록 빈칸에 알맞은 말을 쓰시오.

> 많은 사람들이 스위스에 방문하는데, 그곳은 자연미로 유명하다.

➡ A lot of people visit Switzerland, _____
_____ famous for its natural beauty.

개념 가이드

관계대명사의 계속적 용법은 관계대명사 앞에 콤마(,)를 쓰며, [   ]에 대한 부가적인 설명을 한다.

답 선행사

대표 예제 6

🖉 고1 11월응용

다음 글의 밑줄 친 부분 중 어법상 틀린 것은?

A long time ago, a farmer in a small town had a neighbor ①who was a hunter. The hunter owned a few fierce and poorly-trained ②hunting dogs. They jumped the fence ③frequently and chased the farmer's lambs. The farmer asked his neighbor ④to keep his dogs in check, but his words fell on deaf ears. One day ⑤how the dogs jumped the fence, they attacked and severely injured several of the lambs.

개념 가이드

관계부사는 선행사를 수식하는 절을 이끌며, 선행사가 시간을 나타내는 말일 때는 관계부사 [   ]을 쓴다.

답 when

대표 예제 7

🖉 고1 11월응용

다음 네모 안에서 알맞은 것을 고르시오.

Directors can simply point the camera at [whenever / whatever / however] they want the audience to look at.

개념 가이드

'~하는 것은 무엇이든지'라는 의미를 나타내는 복합 관계대명사는 [   ]이다.

답 whatever

대표 예제 8

🖉 고1 11월응용

다음 글의 빈칸에 들어갈 말로 알맞은 것은?

No matter what anyone asks of you, no matter how much of an inconvenience it poses for you, you do _____ they request. This is not a healthy way of living because by saying yes all the time you are building up emotions of inconvenience.

① which ② who
③ that ④ what
⑤ of which

개념 가이드

관계대명사 [   ]은 '~하는 것'이라는 의미로 선행사를 포함한다.

답 what

4일 비교 표현

생각
열기

① Look at the dog. That is the ugliest dog that I've ever seen.

② I don't think so. It's so cute.

③ I think the dog is as cute as you.

④ Are you kidding me?

① 저 개를 봐. 내가 본 중에 가장 못생긴 개야. **②** 나는 그렇게 생각하지 않아. 아주 귀여운데.
③ 내 생각에 그 개는 너만큼 귀여운 것 같아. **④** 너 나를 놀리는 거니?

Quiz

1 형용사와 부사의 비교급은 보통 어미에 | -er / -est | 를 붙인다.

2 -ous, -ful, -ing, -ive, -ed로 끝나는 형용사와 부사의 최상급은 앞에 | more / most | 를 붙인다.

답 **1** -er **2** most

단어 미리 보기

check~

☐ adequate *a.* 적절한, 충분한

☐ alternately *ad.* 번갈아, 교대로

☐ cage *n.* 우리, 새장

☐ category *n.* 범주

☐ contribution *n.* 기부금, 성금

☐ display *v.* 진열하다, 전시하다

☐ expectation *n.* 예상, 기대

☐ experience *n.* 경험

☐ flow *v.* 흐르다, 흘러가다

☐ fluent *a.* 유창한

☐ fund *n.* 기금, 자금

fund

☐ glaciers *n.* 빙하

☐ honesty *n.* 정직, 솔직함

☐ increase *v.* 증가하다

☐ invention *n.* 발명품, 발명

☐ launch *v.* 발사하다, 시작하다

launch

☐ length *n.* 길이

length

☐ local *a.* 지역의, 현지의

☐ male *n.* 남자 (↔ female 여자)

☐ master *v.* ~을 완전히 익히다

☐ respondent *n.* 응답자

☐ rocky *a.* 바위로 된, 바위투성이의

☐ satisfaction *n.* 만족(감), 흡족

☐ throw *n.* 던지기

☐ tiny *a.* 아주 작은

☐ reach out (손 등을) 뻗다

4일 어법 핵심 정리 ❶

개념 1　원급을 이용한 비교 표현

as + 원급 + as ~	~만큼 …한[하게]
as + 원급 + as possible (= as + 원급 + as + 주어 + can)	가능한 한 …한[하게]
not as[so] + 원급 + as ~ (= less + 원급 + than ~)	~만큼 …하지 않은[않게]
배수 표현 + as + 원급 + as ~ (= 배수 표현 + 비교급 + than ~)	~보다 몇 배 더 …한
not so much A as B (= rather B than A)	A라기보다는 B인

• 배수 표현: half, twice, three times, four times 등

- 비교되는 두 대상의 성질 또는 수량이 같을 때 형용사나 부사의 ❶[＿＿＿]을 'as ~ as' 사이에 넣어 비교한다.

❶ 원급

My cat is as ❷[＿＿＿] **as your dog.** 나의 고양이는 너의 개만큼 크다.

❷ big

She ran as fast as ❸[＿＿＿]. 그녀는 가능한 한 빨리 달렸다.

❸ possible

This bag is twice as expensive as that one. 이 가방은 저 가방보다 두 배 더 비싸다.

> Tip　원급은 형용사나 부사의 원래 형태를 말해요.

개념 2　비교급을 이용한 표현

비교급 + than	…보다 더 ~한[하게]
비교급 + and + 비교급	점점 더 ~한
the + 비교급 ~, the + 비교급 …	~하면 할수록 더 …하다
no more than (= ❹[＿＿＿])	겨우 ~ 밖에
no less than	~만큼이나, ~씩이나 많이
not more than (= at most)	기껏해야
not less than (= at least)	최소한
no longer (= not ~ any longer)	더 이상 ~ 않는다
A is no more B than C is D	C가 D가 아닌 것처럼 A도 B가 아니다

❹ only

• 형용사나 부사의 비교급을 강조할 때 비교급 앞에 much, a lot, far, even, still 등을 쓴다.

It is getting darker and ❺[＿＿＿]. 점점 더 어두워지고 있다.

❺ darker

The harder you study English, **the sooner** you will be fluent.
네가 더 열심히 영어를 공부할수록, 너는 더 금방 영어가 유창해질 것이다.

I have no more ❻[＿＿＿] 1000 won. 나는 겨우 천원 밖에 없다.

❻ than

1 각 네모 안에서 어법상 알맞은 것을 고르시오.

(1) Today is not so cold / colder as yesterday.

(2) It is getting hot / hotter and hotter.

(3) The house has not more as / than 3 rooms.

(4) His dog is very / much bigger than my cat.

2 어법상 어색한 부분을 찾아 바르게 고쳐 쓰시오.

(1) My room is as larger as yours.

_____ ➡ _____

(2) The longer Andy waited, the angriest he became.

_____ ➡ _____

(3) She tried to finish the work so quickly as she could.

_____ ➡ _____

(4) He does not live here no longer.

_____ ➡ _____

quickly 빨리

3 우리말을 영어로 옮길 때 괄호 안의 말을 이용하여 문장을 완성하시오.

(1)

수박은 사과보다 약 네 배 더 크다. (as, big)

➡ The watermelon is about _____ the apple.

(2)

나는 가능한 한 빨리 일어났다. (early, possible)

➡ I got up _____.

watermelon 수박
possible 가능한

개념 3 여러 가지 최상급 표현

the + 최상급 + in + 장소/집단	~에서 가장 …한
the + 최상급 + of + 복수명사	~ 중에서 가장 …한
one of the + 최상급 + 복수명사	가장 …한 ~ 중 하나
the + 최상급 + 명사(+ that) + 주어 + have/has ever + 과거분사	지금까지 ~한 것 중 가장 …한

- 다른 대상과 비교하지 않고 동일한 사람 또는 사물의 성질이나 상태를 서술하는 경우에는 최상급 앞에 the를 쓰지 않는다.

- 최상급 앞에는 대개 ❶ [　　] 가 오고, 뒤에는 비교 범위를 나타내는 부사구(of ~ / in ~ 등)가 오는 경우가 많다.

❶ the

I think Yunho is **the smartest** student **in** my class.
나는 윤호가 우리 반에서 가장 똑똑한 학생이라고 생각한다.

Judy is **the most diligent** ❷ [　　] her siblings.
Judy는 형제자매들 중에서 가장 부지런하다.

❷ of

James is ❸ [　　] **of the best players** in the soccer team.
James는 축구팀에서 가장 훌륭한 선수들 중 한 명이다.

❸ one

This is **the most exciting** movie **that** I **have ever watched**.
이것은 내가 지금까지 본 것 중 가장 흥미로운 영화이다.

개념 4 원급·비교급을 이용한 최상급 표현

비교급 + than any other + 단수명사	다른 어떤 ~보다 더 …한
비교급 + than all the other + 복수명사	다른 모든 ~보다 더 …한
No + 명사 ~ + 비교급 + than	어떤 -도 ~보다 더 …하지 않다
No + 명사 ~ + as[so] + 원급 + as	어떤 -도 ~만큼 …하지 않다

- 원급 또는 비교급을 이용하여 최상급과 같은 의미를 나타낼 수 있다.

She is **the most famous** singer in Korea. 그녀는 한국에서 가장 유명한 가수이다.

= She is **more famous** ❹ [　　] **any other singer** in Korea.
그녀는 한국에서 다른 어떤 가수보다 더 유명하다.

❹ than

= She is **more famous than all the other** ❺ [　　] in Korea.
그녀는 한국에서 다른 모든 가수들보다 더 유명하다.

❺ singers

= **No singer** in Korea is **more famous than** she.
한국의 어떤 가수도 그녀보다 더 유명하지 않다.

= ❻ [　　] **singer** in Korea is **as famous as** she.
한국의 어떤 가수도 그녀만큼 유명하지 않다.

❻ No

4 각 네모 안에서 어법상 알맞은 것을 고르시오.

(1) It is the │ more wonderful / most wonderful │ picture that I have ever seen.

(2) He is one of the tallest │ student / students │ in my school.

(3) Yumi is the oldest │ of / in │ the three.

(4) Nothing is more important │ as / than │ our health.

health 건강

4일

5 주어진 문장과 의미가 <u>모두</u> 같도록 빈칸에 알맞은 말을 쓰시오.

> This is the tallest building in my town.

(1) = This is _____ than any other _____ in my town.

(2) = This is _____ _____ all the other _____ in my town.

(3) = _____ building in my town is _____ _____ this building.

(4) = _____ building in my town is as _____ _____ this building.

6 우리말을 영어로 옮길 때 빈칸에 알맞은 말을 쓰시오.

(1)

나일강은 세계에서 가장 긴 강이다. (3단어)

➡ The Nile is _____ in the world.

Switzerland 스위스
country 국가, 나라

(2)

스위스는 세계에서 가장 아름다운 나라 중 하나이다. (5단어)

➡ Switzerland is one _____ in the world.

4일 적중 예상 베스트

대표 예제 1
✎ 고1 9월 응용

다음 네모 안에서 알맞은 것을 고르시오.

He has mastered one of the │more difficult / most difficult│ throws in all of judo.

개념 가이드

'one of the + □□□□□ + 복수명사'는 '가장 …한 ~ 중 하나' 라는 의미를 나타낸다.

답 최상급

대표 예제 2
✎ 고1 6월 응용

다음 글의 빈칸에 들어갈 수 <u>없는</u> 것은?

If you were at a zoo, then you might say you are 'near' an animal if you could reach out and touch it through the bars of its cage. Here the word 'near' means an arm's length away. If you were telling someone how to get to your local shop, you might call it 'near' if it was a five-minute walk away. Now the word 'near' means _____ longer than an arm's length away.

① many   ② even   ③ a lot
④ far   ⑤ much

개념 가이드

□□□□을 강조하는 말로 much, a lot, far, even, still 등을 쓸 수 있다.

답 비교급

대표 예제 3

주어진 문장과 의미가 같도록 빈칸에 알맞은 말을 쓰시오.

The Great Wall of China is the longest wall in the world.

➡ The Great Wall of China is longer _____ _____ _____ _____ in the world.

개념 가이드

'비교급 + □□□□ any other + □□□□'로 최상급과 같은 의미를 나타낼 수 있다.

답 than, 단수명사

대표 예제 4
✎ 고1 9월 응용

다음 글의 빈칸에 들어갈 말로 알맞은 것은?

Among the five invention categories, the highest percentage of male respondents showed interest in inventing consumer products. For health science invention, the percentage of female respondents was _____ that of male respondents.

① two as high as   ② twice as higher as
③ two as higher as   ④ twice as high as
⑤ twice as higher than

개념 가이드

'~보다 몇 배 더…한'은 '배수 표현 + as + □□□□ + □□□□ ~'로 나타낸다.

답 원급, as

4일

대표 예제 5
고1 9월응용

주어진 우리말과 일치하도록 빈칸에 알맞은 말을 쓰시오.
(5단어)

> 그는 가능한 한 빨리 달렸고 자신을 공중으로 내던졌다.

➡ He ran _____ and
launched himself into the air.

개념 가이드

'가능한 한 ~한[하게]'는 'as + 원급 + as + [_____]' 또는 'as + 원급 + as + 주어 + [_____]'으로 나타낼 수 있다.

답 possible, can

대표 예제 6
고1 6월응용

다음 글의 밑줄 친 부분 중 어법상 틀린 것은?

Near an honesty box, ①in which people placed coffee fund contributions, researchers ②alternately displayed images of eyes and of flowers. During all the weeks in which eyes were displayed, ③bigger contributions were made ④than during the weeks when flowers were displayed. Over the ten weeks of the study, contributions during the 'eyes weeks' were almost ⑤three times high than those made during the 'flowers weeks.'

개념 가이드

'~보다 몇 배 더 …한'은 '배수 표현 + [_____] + than'으로 표현한다.

답 비교급

대표 예제 7
고1 3월응용

다음 밑줄 친 부분을 어법상 바르게 고쳐 쓰시오.

> Glaciers, wind, and flowing water help move the rocky bits along, with the tiny travelers getting <u>small and small</u> as they go.

➡ _____

개념 가이드

'점점 더 ~한'은 '[_____] + and + [_____]'으로 표현한다.

답 비교급, 비교급

대표 예제 8
고1 6월응용

다음 글의 빈칸에 알맞은 말이 순서대로 짝지어진 것은?

People have higher expectations as their lives get better. However, the _____ the expectations, the _____ it is to be satisfied. We can increase the satisfaction we feel in our lives by controlling our expectations.

① high – difficult
② high – more difficult
③ higher – difficult
④ higher – more difficult
⑤ highest – most difficult

개념 가이드

'~하면 할수록 더 …하다'는 'the + [_____] ~, the + [_____] …'으로 표현한다.

답 비교급, 비교급

5 ^일 가정법

❶ 무슨 일이니? 너는 잠을 잘 못 잔 것처럼 보여.   ❷ 나는 어젯밤에 영화를 보느라 늦게 잤어.

❸ 너는 오늘 소개팅이 있잖아. 내가 너였다면, 일찍 잤을 텐데.   ❹ 나는 항상 예뻐서 괜찮아.

Quiz

1 가정법 과거는 과거 / 현재 사실과 반대되는 일을 가정할 때 쓴다.

2 가정법 과거완료는 과거 / 현재 사실과 반대되는 일을 가정할 때 쓴다.

답 1 현재 2 과거

단어 미리 보기

☐ communicate　*v.* 연락을 주고받다

☐ competitor　*n.* 경쟁자

☐ complain　*v.* 불평하다, 항의하다

☐ contrast　*v.* 대조하다

☐ delay　*v.* 미루다, 연기하다

de⎯lay

☐ disappointed　*a.* 실망한, 낙담한

disappointed

☐ drought　*n.* 가뭄

☐ empty　*a.* 비어 있는

☐ exist　*v.* 존재하다

☐ gathering　*n.* 모임

☐ horrible　*a.* 끔찍한, 무시무시한

☐ imagine　*v.* 상상하다

imagine

☐ immediate　*a.* 즉각적인

☐ introduce　*v.* 소개하다

introduce

☐ overhear　*v.* 우연히 듣다

☐ oxygen　*n.* 산소

☐ scenario　*n.* 시나리오

☐ slippery　*a.* 미끄러운

☐ survival　*n.* 생존

☐ sweat　*v.* 땀을 흘리다

sweat

☐ thunder　*n.* 천둥, 우레

☐ toward　*prep.* ~을 향하여

☐ truth　*n.* 사실, 진리

☐ vacuum　*n.* 진공, 공백

☐ whisper　*v.* 속삭이다

vvhrsper

☐ pay attention to　~에 주목[유의]하다

5일 어법 핵심 정리 ❶

개념 1 · 가정법 과거와 과거완료

	가정법 과거	가정법 과거완료	
의미	~한다면, …할 텐데 (현재 사실의 반대)	~했다면, …했을 텐데 (❶ ⬜ 사실의 반대)	❶ 과거
형태	If + 주어 + 동사의 과거형 ~, 주어 + 조동사의 과거형 + 동사원형 …	If + 주어 + had + 과거분사 ~, 주어 + 조동사의 과거형 + have + 과거분사 …	

- 가정법 과거 문장에서 if절의 동사가 be동사일 경우에는 주어의 인칭과 수에 관계없이 ❷ ⬜ 를 쓴다.

❷ were

- if절과 주절의 위치는 바꿀 수 있으며, 주절이 앞에 있을 때는 주절 뒤에 콤마(,)를 쓰지 않는다.

If he **had** more time, he **could finish** the work.
그에게 시간이 더 있다면 그는 그 일을 끝낼 수 있을 텐데.

If I **were** you, I **wouldn't go** there. 내가 너라면 나는 그곳에 가지 않을 텐데.

If she ❸ ⬜ **got** up early, she **would** not **have been** late for school.
그녀가 일찍 일어났다면 학교에 지각하지 않았을 텐데.

❸ had

> Tip 가정법 과거는 현재 사실과 반대되거나 실제로 일어날 가능성이
> 거의 없는 일을 가정할 때 써요.

개념 2 · 혼합 가정법

의미	(과거에) ~했다면, (현재) …할 텐데
형태	If + 주어 + had + 과거분사 ~, 주어 + 조동사의 과거형 + 동사원형 …

- 혼합 가정법은 주절과 if절의 ❹ ⬜ 가 일치하지 않는 경우를 말하며, 과거 사실에 반대되는 가정의 결과가 현재 영향을 줄 때 사용한다.

❹ 시제

❺ ⬜ I **had eaten** breakfast, I **would** not **be** hungry now.
내가 아침을 먹었더라면 나는 지금 배가 고프지 않을 텐데.

❺ If

If you ❻ ⬜ not **gone** to the party last night, you **would** not **be** tired
now. 네가 어젯밤에 파티에 가지 않았더라면, 너는 지금 피곤하지 않을 텐데.

❻ had

정답과 해설 **70쪽**

1 각 네모 안에서 어법상 알맞은 것을 고르시오.

(1) If there was / were no oxygen, we would not exist.

(2) If he has / had not been busy, he would have helped me.

(3) If I moved / had moved to the U.S. I would live in New York.

(4) If she had known the truth, she would trust / have trusted him.

oxygen 산소
exist 존재하다
truth 사실, 진리
trust 신뢰하다

5일

2 밑줄 친 부분을 어법상 바르게 고쳐 쓰시오.

(1) If it were not cold, I <u>can go out</u>.

➡ _____

(2) If it <u>snowed</u> last night, the road would be slippery now.

➡ _____

(3) If you lived here, I <u>would have seen</u> you every day.

➡ _____

(4) If he had had a camera with him, he <u>would take</u> a picture of me.

➡ _____

slippery 미끄러운

3 우리말을 영어로 옮길 때 괄호 안의 말을 이용하여 문장을 완성하시오.

(1)

내가 그녀의 전화번호를 안다면 그녀에게 전화할 텐데.

➡ If I _____ her number, I _____ her. (know, call)

(2)

비가 올 거라는 것을 알았더라면 나는 우산을 가져왔을 텐데.

➡ If I _____ it was raining, I _____ my umbrella. (know, bring)

bring 가져오다

개념 3 · I wish 가정법 / as if 가정법

	I wish + 가정법 과거	I wish + 가정법 과거완료
의미	~라면 좋을 텐데 (현재 이루기 힘든 소망)	~했더라면 좋을 텐데 (❶ [　　　]의 일에 대한 아쉬움)
형태	I wish + 주어 + were/동사의 과거형	I wish + 주어 + had + 과거분사
예문	I wish I **had** a boy friend. 나에게 남자친구가 있다면 좋을 텐데. (→ I'm sorry that I don't have a boy friend.)	I wish I ❷ [　　　] **traveled** with **you.** 내가 너와 함께 여행했더라면 좋을 텐데. (→ I'm sorry that I didn't travel with you.)

❶ 과거

❷ had

	as if + 가정법 과거	as if + 가정법 과거완료
의미	마치 ~인[하는] 것처럼 (주절과 같은 시점의 사실과 반대되는 상황을 가정)	마치 ~이었던[했던] 것처럼 (주절보다 앞선 시점의 사실과 반대되는 상황을 가정)
형태	as if + 주어 + were/동사의 과거형	as if + 주어 + had + 과거분사
예문	Mom treats me **as if** I ❸ [　　　] a baby. 엄마는 마치 나를 아기처럼 대하신다. (→ In fact, I am not a baby.)	He talked **as if** he **had visited** Paris. 그는 마치 자신이 파리에 다녀왔던 것처럼 말했다. (→ In fact, he didn't visit Paris.)

• as if 대신 as though를 쓸 수도 있다.

❸ were

개념 4 · Without 가정법

	Without + 가정법 과거	Without + 가정법 과거완료
의미	~이 없다면, …할 것이다	~이 없었다면, …했을 것이다
형태	Without + 명사(구), 주어 + 조동사의 과거형 + 동사원형 = If it were not for + 명사(구), ~	Without + 명사(구), 주어 + 조동사의 과거형 + have + 과거분사 = If it had not been for + 명사(구), ~
예문	**Without** your help, I **could** not **finish** my homework. = **If it were not** [❹ 　　　] your help, I **could** not **finish** my homework. 너의 도움이 없다면 나는 숙제를 끝내지 못할 것이다.	❺ [　　　] her advice, he **would have given** up. = **If it had not** [❻ 　　　] **for** her advice, he **would have given** up. 그녀의 충고가 없었다면, 그는 포기했을 것이다.

❹ for
❺ Without
❻ been

Tip Without 대신 But for를 쓸 수도 있어요.

5일

4 각 네모 안에서 어법상 알맞은 것을 고르시오.

(1) I wish I ⬚ has / had ⬚ listened to my mom's advice.

(2) The girl talks ⬚ as if / even if ⬚ she were Canadian.

(3) ⬚ But / Without ⬚ the map, I could not find the library.

(4) If it ⬚ were not / had not been ⬚ for smartphones, we could not communicate with friends easily.

advice 조언, 충고
Canadian 캐나다 사람
communicate 연락을 주고
받다

5 밑줄 친 부분을 어법상 바르게 고쳐 쓰시오.

(1) He looks as if he <u>has not slept</u> well.

➡ _____

(2) I don't have much money. I wish I <u>have</u> a lot of money.

➡ _____

(3) <u>Without for her</u>, the basketball team could not have won the game.

➡ _____

(4) If it had not been for the traffic jam, I <u>could arrive</u> there on time.

➡ _____

traffic jam 교통 체증

6 우리말을 영어로 옮길 때 빈칸에 알맞은 말을 쓰시오.

(1)

나는 그녀처럼 유명한 가수가 될 수 있으면 좋을 텐데.

➡ I _____ I _____ _____ a famous singer like her.

(2)

그의 도움이 없었다면, 나는 심하게 다쳤을 것이다.

➡ _____ _____ _____, I would have been badly injured.

badly 심하게

적중 예상 베스트

대표 예제 1

다음 문장의 네모 안에서 알맞은 것을 고르시오.

If he had heard the alarm, he wouldn't [be / have been / had been] late for work.

개념 가이드

가정법 과거완료는 'If + 주어 + had + 과거분사 ~, 주어 + 조동사의 과거형 + [_____] + 과거분사'로 쓴다.

답 have

대표 예제 2

주어진 문장과 반대의 상황을 가정하는 문장의 빈칸에 알맞은 말이 순서대로 짝지어진 것은?

> As it rained so heavily, the bus was delayed.
> ➡ If it _____ so heavily, the bus would not _____.

① rained – delayed
② did not rain – be delayed
③ had rained – be delayed
④ had not rained – be delayed
⑤ had not rained – have been delayed

개념 가이드

과거 사실과 반대되는 일을 가정할 때 'If + 주어 + [_____] + 과거분사 ~, 주어 + 조동사의 과거형 + have + [_____] ...'로 쓴다.

답 had, 과거분사

대표 예제 3

고1 6월 응용

주어진 우리말과 일치하도록 괄호 안의 말을 배열하여 문장을 완성하시오.

> 나는 만약 그가 그것을 되돌려 주지 않았다면 일어났을 끔찍한 이야기를 상상할 수 있었다.

➡ I could imagine a horrible scenario _____.

(it, if, returned, he, not, had)

개념 가이드

혼합 가정법 문장에서 if절에는 가정법 [_____]를, 주절에는 가정법 과거 형식을 쓴다.

답 과거완료

대표 예제 4

고1 11월 응용

다음 글의 빈칸에 들어갈 말로 알맞은 것은?

If you were at a social gathering in a large building and you overheard someone say that "the roof is on fire," what _____ your reaction? Until you knew more information, your first inclination might be toward safety and survival.

① is
② are
③ will be
④ would be
⑤ would have been

개념 가이드

가정법 과거는 'If + 주어 + 동사의 과거형 ~, 주어 + [_____] + 동사원형 ...'의 형태로 쓴다.

답 조동사의 과거형

대표 예제 5

다음 중 주어진 문장이 의미하는 것으로 알맞은 것은?

> Alice spends money as if she were rich.

① In fact, Alice is rich.
② In fact, Alice was rich.
③ In fact, Alice is not rich.
④ In fact, Alice was not rich.
⑤ In fact, Alice wants to be rich.

개념 가이드

'as if + 가정법 과거'는 주절과 같은 시점의 사실과 [   ] 상황을 가정한다.

답 반대되는

대표 예제 7
고1 9월 응용

다음 문장에서 어법상 어색한 부분을 찾아 바르게 고치시오.

> She lay there, sweating, listening to the empty thunder that brought no rain, and whispered, "I wish the drought will end."

_____ ➡ _____

개념 가이드

현재 이루기 힘든 소망을 나타낼 때 'I [   ] + 주어 + 동사의 과거형'으로 쓴다.

답 wish

대표 예제 6

다음 밑줄 친 부분과 바꿔 쓸 수 있는 것을 모두 고르면?

> Without your help, I could not have solved the problem.

① But for your help
② But not for your help
③ If it were for your help
④ If it were not for your help
⑤ If it had not been for your help

개념 가이드

'Without ~, 가정법 과거완료'는 [   ] for ~ 또는 If it [   ] not been for ~로 바꿔 쓸 수 있다.

답 But, had

대표 예제 8
고1 6월 응용

다음 글의 밑줄 친 부분 중 어법상 틀린 것은?

Too many companies ①advertise their new products as if their competitors ②do not exist. They advertise their products in a vacuum and ③are disappointed when their messages fail to get through. Introducing a new product category is difficult, especially if the new category ④is not contrasted against the old one. Consumers ⑤do not usually pay attention to what's new and different unless it's related to the old.

개념 가이드

'마치 ~인[하는] 것처럼'의 의미로 주절과 같은 시점의 사실과 반대로 가정할 때는 '[   ] + 주어 + 동사의 과거형'으로 쓴다.

답 as if

1 다음 중 밑줄 친 부분의 쓰임이 나머지 넷과 다른 것은?

① He is wearing shoes <u>that</u> I bought.

② I told my mom <u>that</u> I was very hungry.

③ You can choose anything <u>that</u> you want.

④ This is the tallest building <u>that</u> I've ever seen.

⑤ Tuesday is the day <u>that</u> comes after Monday.

2 다음 두 문장의 뜻이 같도록 할 때 빈칸에 알맞은 것은?

> Because I had not prepared for the exam, I didn't get good grades.
> = _____ for the exam, I didn't get good grades.

① Not prepared

② Not preparing

③ Preparing not

④ Having not prepared

⑤ Not having prepared

고1 11월 응용

[3~4] 다음 글을 읽고 물음에 답하시오.

> I asked Kenichi Ohmae, a global management consultant, ___ⓐ___ he could sense ___ⓑ___ a company was going to be successful. Was there something he could smell or sense when he was in an organization that suggested this company was going to be a winner? He said, "Yes," and added "if a company is not afraid to ask questions, if everyone asks questions from the CEO down to the office boy, if they ask questions like 'Why do we do it this way?' then this company will succeed." ___ⓒ___ the inquisitive mind is an essential ingredient for future success.

3 위 글의 빈칸 ⓐ와 ⓑ에 알맞은 말이 순서대로 바르게 짝지어진 것은?

① if – that   ② if – whether

③ that – whether   ④ that – if

⑤ what – whether

4 위 글의 빈칸 ⓒ에 들어갈 말로 알맞은 것은?

① So   ② Because

③ Besides   ④ However

⑤ Otherwise

5 다음 우리말을 영어로 바르게 옮긴 것은?

> 나는 김 선생님을 만났는데, 그분은 작년에 나에게 과학을 가르쳐주셨다.

① I met Mr. Kim, which taught me science last year.

② I met Mr. Kim, that taught me science last year.

③ I met Mr. Kim, who taught me science last year.

④ I met Mr. Kim, what taught me science last year.

⑤ I met Mr. Kim whom taught me science last year.

6 다음 우리말과 일치하도록 빈칸에 알맞은 말을 쓰시오.

> 너는 피자나 햄버거 둘 중에 하나를 먹을 수 있다.
> ➡ You can have _____ pizza _____ a hamburger.

🖉고1 11월 응용

[7~8] 다음 글을 읽고 물음에 답하시오.

> To the Principal of Alamda High School,
>   On behalf of the Youth Soccer Tournament Series, I would like to remind you of the 2019 Series next week. Surely, we understand the importance of a player's education. Regrettably, ___ⓐ___, the Series will result in players missing two days of school for the competition. The games will be attended by many college coaches ⓑ scouting / scouted prospective student athletes. Therefore, the Series can be a great opportunity for young soccer players to demonstrate their capabilities as athletes.

7 위 글의 빈칸 ⓐ에 들어갈 말로 알맞은 것은?

① thus   ② however

③ in addition   ④ as a result

⑤ on the other hand

8 위 글의 네모 ⓑ에서 알맞은 말을 골라 쓰시오.

➡ _____

6일 누구나 100점 테스트 2회

1 다음 그림의 내용과 의미가 통하는 문장 중 바르게 쓴 것은?

> I'm not lonely because of my dog.

① But my dog, I would be very lonely.

② With my dog, I would be very lonely.

③ Without my dog, I would be very lonely.

④ Thanks to my dog, I would be very lonely.

⑤ If it were for my dog, I would be very lonely.

2 다음 두 문장의 의미가 같도록 할 때 빈칸에 알맞은 것은?

> As she didn't run to the station, she couldn't catch the train.
>
> ➡ _____ to the station, she couldn't catch the train.

① Running

② Running not

③ Not running

④ Having run not

⑤ Not having run

✎ 고1 11월 응용

[3~4] 다음 글을 읽고 물음에 답하시오.

> There is a famous Spanish proverb ⓐthat says, "The belly rules the mind." This is a clinically proven fact. Food is the original mind-controlling drug. Every time we eat, we bombard our brains with a feast of chemicals, ⓑtriggering an explosive hormonal chain reaction ⓒthat directly influences ⓓthe way how we think. Countless studies have shown ⓔthat the positive emotional state induced by a good meal enhances our receptiveness to be persuaded.

3 위 글의 밑줄 친 ⓐ~ⓔ 중 어법상 어색한 것은?

① ⓐ   ② ⓑ   ③ ⓒ   ④ ⓓ   ⑤ ⓔ

4 위 글의 밑줄 친 Every time we eat에서 생략된 말을 넣어 다시 쓰시오. (단, that은 쓰지 말 것)

➡ _____

5 다음 문장 중 나머지 넷과 의미가 <u>다른</u> 것은?

① This is the most expensive car.

② No car is as expensive as this car.

③ No car is more expensive than this car.

④ This car is one of the most expensive cars.

⑤ This car is more expensive than any other car.

6 다음 중 주어진 문장과 반대의 상황을 가정한 문장으로 옳은 것은?

> As she was tired, she didn't go to meet her friends.

① If she was tired, she would go to meet her friends.

② If she was tired, she would have gone to meet her friends.

③ If she had been tired, she would have gone to meet her friends.

④ If she had not been tired, she would have gone to meet her friends.

⑤ If she had not been tired, she would not have gone to meet her friends.

✏️ 고1 6월 응용

[7~8] 다음 글을 읽고 물음에 답하시오.

> Whenever you say ___ⓐ___ you can't do, say what you can do. This ends a sentence on a positive note and has a ___ⓑ___ lower tendency to cause someone to challenge it. Consider this situation—a colleague comes up to you and asks you to look over some figures with them before a meeting they are having tomorrow. You simply say, 'No, I can't deal with this now.' Instead of that, say to them, 'I can't deal with that now but ___ⓒ___ I can do is I can ask Brian to give you a hand and he should be able to explain them.'

7 위 글의 빈칸 ⓐ와 ⓒ에 공통으로 들어갈 말로 알맞은 것은?

① that ② what

③ which ④ when

⑤ how

8 위 글의 빈칸 ⓑ에 들어갈 수 <u>없는</u> 것은?

① much ② far

③ more ④ even

⑤ a lot

A 다음 두 문장을 한 문장으로 바꿔 쓰시오. (단, 관계대명사를 이용할 것)

1
> He received a report card.
> He was not satisfied with it.

➡ _____

2
> Emma bought a sports car.
> The color of the car is yellow.

➡ _____

B 다음 그림의 상황을 반대로 가정하는 문장을 완성하시오.

1

> As she is not hungry, she can't eat the cake.

➡ If she _____, she _____ the cake.

2

> The driver ignored the traffic signal, so he had an accident.

➡ If the driver _____, he _____ an accident.

C 다음 그림의 상황을 나타내는 문장을 분사구문으로 바꿔 쓰시오.

1

Because she didn't feel tired, she watched TV all night long.

➡ _____

2

As he had lost his wallet, he couldn't buy the concert tickets.

➡ _____

D 다음 우리말과 일치하도록 괄호 안의 말을 이용하여 빈칸에 알맞은 말을 쓰시오.

1 이 방은 내 방보다 약 두 배만큼 더 크다. (4단어)

➡ This room is about _____ my room.
(as, big)

2 요즘 여름 날씨는 점점 더 더워지고 있다. (4단어)

➡ Nowadays, the weather in summer is _____.
(get, hot, and)

다음 중 알맞은 단어 카드를 골라 문장을 완성하시오.

1 Either Jason or I

☐ is

☐ am

going to pick you up.

2 I don't know

☐ that

☐ whether

he can come to the party.

3 You should leave home now.

☐ Otherwise

☐ Then

you'll miss the bus.

 다음 대화에서 어법상 잘못 말한 문장을 바르게 고쳐 다시 쓰시오.

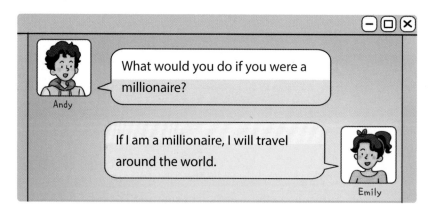

Andy: What would you do if you were a millionaire?

Emily: If I am a millionaire, I will travel around the world.

➡ _____

정답과 해설 **74**쪽

 다음 문장의 빈칸에 들어갈 말을 이용하여 아래의 퍼즐을 완성하시오.

Down

1 I was so tired _____ I couldn't read the book. (나는 너무 피곤해서 그 책을 읽을 수 없었다.)

2 Ann was reading a book _____ by Shakespeare.
(Ann은 셰익스피어가 쓴 책을 읽고 있었다.)

3 My dog follows me _____ I go. (나의 개는 내가 어디를 가든 따라다닌다.)

Across

2 Sam came home late last night, _____ made his mom angry.
(Sam은 어젯밤에 늦게 들어왔고, 그것은 그의 엄마를 화나게 만들었다.)

4 _____ your help, I could not have overcome my difficulties.
(너의 도움이 없었다면 나는 내 어려움을 극복하지 못했을 것이다.)

5 Clean up your room as fast as _____. (가능한 한 빨리 네 방을 치워라.)

6 You'll be late for school _____ you walk more quickly.
(더 빨리 걷지 않으면 너는 학교에 지각할 것이다.)

7 _____ speaking, I can't find the joke interesting. (솔직히 말해서, 나는 그 농담이 재미없었다.)

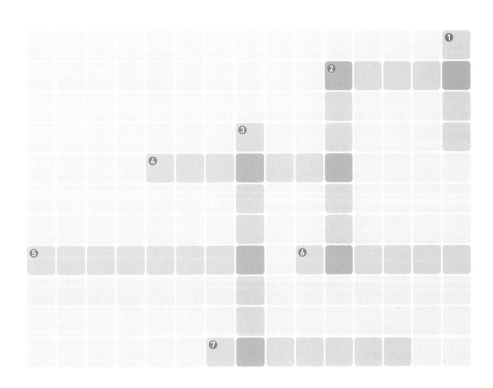

7_일 학교 시험 기본 테스트 1회

1 다음 중 주어진 문장과 의미가 같은 것은?

> I'm sorry that I did not listen to his advice.

① I wish I listen to his advice.
② I wish I listened to his advice.
③ I wish I had listened to his advice.
④ I wish I did not listen to his advice.
⑤ I wish I had not listened to his advice.

2 다음 우리말을 영어로 옮길 때 빈칸에 알맞은 말이 순서대로 짝지어진 것은?

> 팀이 크면 클수록 다양해질 가능성이 더욱 더 많이 존재한다.
> ➡ _____ the team is, _____ possibilities exist for diversity.

① Big – much
② Bigger – more
③ The big – the much
④ The bigger – the more
⑤ The biggest – the most

🖉 고1 11월 응용

[3~4] 다음 글을 읽고 물음에 답하시오.

> There is a critical factor that determines _____ⓐ_____ your choice will influence ⓑthat of others: the visible consequences of the choice. Take the case of the Adéie penguins. They are often found strolling in large groups toward the edge of the water in search of food. Yet danger awaits in the icy-cold water. There is the leopard seal, for one, _____ⓒ_____ likes to have penguins for a meal. What is an Adéie to do? The penguins' solution is to play the waiting game.

3 위 글의 빈칸 ⓐ와 ⓒ에 들어갈 말이 순서대로 바르게 짝지어진 것은?

① that – who
② that – which
③ that – that
④ whether – who
⑤ whether – which

4 위 글의 밑줄 친 ⓑ가 지칭하는 것은?

① factor   ② choice
③ consequence   ④ case
⑤ Adéie penguin

5 다음 중 밑줄 친 **If[if]**의 쓰임이 나머지 넷과 다른 것은?

① If I were you, I would help her.

② I would buy that coat if it were cheaper.

③ What would you do if you were in my place?

④ Let me know if you can come to the meeting.

⑤ If you had gotten up early, you would have caught the bus.

6 위 글의 빈칸 ⓐ와 ⓑ에 공통으로 들어갈 알맞은 말을 쓰시오.

➡ _____

7 위 글의 밑줄 친 ⓒ의 형태로 알맞은 것은?

① include

② includes

③ including

④ included

⑤ to include

✎ 고1 11월응용

[6~8] 다음 글을 읽고 물음에 답하시오.

It is said ___ⓐ___ among the Bantu peoples of Central Africa, when an individual from one tribe meets someone from a different group, they ask, "What do you dance?" Throughout time, communities have forged their identities through dance rituals ___ⓑ___ mark major events in the life of individuals, ⓒinclude birth, marriage, and death—ⓓ~뿐만 아니라 …도 religious festivals and important points in the seasons.

8 위 글의 밑줄 친 ⓓ의 우리말을 3단어의 영어로 쓰시오.

➡ _____

✎ 고1 11월 응용

[9~10] 다음 글을 읽고 물음에 답하시오.

Behavioral ecologists have observed clever copying behavior among many of our close animal relatives. One example was uncovered by behavioral ecologists ⓐ studying / studied the behavior of a small Australian animal called the quoll. Its survival was being threatened by the cane toad, an invasive species ⓑ introducing / introduced to Australia in the 1930s. To a quoll, these toads look as ___ⓒ___ as they are poisonous, and the quolls who ate them suffered fatal consequences at a speedy rate.   *quoll: 주머니 고양이 *cane toad: 수수두꺼비

9 위 글의 네모 ⓐ와 ⓑ에서 각각 알맞은 말을 골라 쓰시오.

ⓐ _____

ⓑ _____

10 위 글의 빈칸 ⓒ에 들어갈 말로 알맞은 것은?

① tasty

② tastier

③ tastiest

④ more tasty

⑤ most tasty

11 다음 우리말을 영어로 옮길 때 빈칸에 알맞은 말을 쓰시오.

친구들이 없었다면 나는 그 과제를 끝내지 못했을 것이다.

➡ _____ my friends, I would not _____ _____ the project.

12 다음 문장 중 어법상 어색한 것은?

① Frankly speaking, the novel was boring.

② Opening the door, I found the package in front of the door.

③ Going to bed, she closed all the windows.

④ Walking down the street, he met his old friend.

⑤ Changing my coat, I don't have my wallet now.

✎고1 11월 응용

[13~15] 다음 글을 읽고 물음에 답하시오.

Wellness Tourism Trips and Expenditures by Region in 2015 and 2017

Destination	Number of Trips (millions)		Expenditures ($ billions)	
	2015	2017	2015	2017
North America	186.5	204.1	$215.7	$241.7
Europe	249.9	291.8	$193.4	$210.8
Asia-Pacific	193.9	257.6	$111.2	$136.7
Latin America-The Caribbean	46.8	59.1	$30.4	$34.8
The Middle East-North Africa	8.5	11.0	$8.3	$10.7
Africa	5.4	6.5	$4.2	$4.8
Total	**691.0**	**830.0**	**$563.2**	**$639.4**

*Note: Figures may not sum to total due to rounding.

The table above shows the number of trips and expenditures for wellness tourism, travel for health and well-being, in 2015 and 2017. ____ⓐ____ the total number of trips ____ⓑ____ the total expenditures were higher in 2017 compared to those in 2015. Of the six listed regions, Europe was the most visited place for wellness tourism in both 2015 and 2017, followed by Asia-Pacific. In 2017, the number of trips to Latin America-The Caribbean was more than ⓒ~보다 5배 더 높은 that to The Middle East-North Africa. While North America was the only region ____ⓓ____ more than 200 billion dollars was spent in 2015, it was joined by Europe in 2017.

13 위 글의 빈칸 ⓐ와 ⓑ에 알맞은 말이 순서대로 바르게 짝 지어진 것은?

① Either – or   ② Not – but

③ Neither – nor   ④ Both – and

⑤ Whether – or not

14 위 글의 밑줄 친 ⓒ를 괄호 안의 말을 이용하여 영어로 쓰시오. (4단어)

➡ _____ (high)

15 위 글의 빈칸 ⓓ에 들어갈 말로 알맞은 것은?

① when   ② where

③ why   ④ how

⑤ for which

1 다음 우리말을 영어로 바르게 옮긴 것은?

> 내가 일찍 일어났다면, 나는 학교에 지각하지 않았을 텐데.

① If I get up early, I will not be late for school.

② If I got up early, I would not be late for school.

③ If I got up early, I would not have been late for school.

④ If I had gotten up early, I would not have been late for school.

⑤ If I had not gotten up early, I would have been late for school.

2 다음 문장 중 나머지 넷과 의미가 <u>다른</u> 것은?

① This is the oldest building in this city.

② No building is as old as this building in this city.

③ No building is older than this building in this city.

④ This building is older than any other building in this city.

⑤ Any other building is older than this building in this city.

3 다음 문장의 밑줄 친 부분을 어법상 바르게 고쳐 쓰시오.

> The girl <u>wear</u> glasses is my cousin.

➡ _____

✎ 고1 3월 응용

4 다음 글의 밑줄 친 ⓐ~ⓔ 중 쓰임이 같은 것끼리 짝지어진 것은?

> We all know ⓐthat tempers are one of the first things lost in many arguments. It's easy to say one should keep cool, but how do you do it? The point to remember is ⓑthat sometimes in arguments the other person is trying to get you to be angry. They may be saying things ⓒthat are intentionally designed to annoy you. They know ⓓthat if they get you to lose your cool you'll say something ⓔthat sounds foolish; you'll simply get angry and then it will be impossible for you to win the argument. So don't fall for it.

① ⓐ, ⓑ, ⓓ   ② ⓐ, ⓑ, ⓔ

③ ⓑ, ⓒ, ⓓ   ④ ⓑ, ⓒ, ⓔ

⑤ ⓒ, ⓓ, ⓔ

✎ 고1 3월 응용

[5~6] 다음 글을 읽고 물음에 답하시오.

Practically anything of value requires ⓐ that we take a risk of failure or being rejected. This is the price we all must pay for achieving the greater rewards ⓑ lain ahead of us. To take risks means you will succeed sometime but never to take a risk means ⓒ that you will never succeed. Life is filled with a lot of risks and challenges and ⓓ if you want to get away from all these, you will be left behind in the race of life. A person ⓔ who can never take a risk can't learn anything.

5 위 글의 밑줄 친 ⓐ~ⓔ 중 어법상 어색한 것은?

① ⓐ　　② ⓑ　　③ ⓒ　　④ ⓓ　　⑤ ⓔ

6 위 글의 요지로 알맞은 것은?

① 부탁을 자주 거절하면 신뢰를 잃는다.

② 위험 요소가 있으면 미리 피하는 것이 좋다.

③ 잦은 실패 경험은 도전할 의지를 잃게 한다.

④ 자신이 잘하는 일에 집중하는 것이 효율적이다.

⑤ 위험을 무릅쓰지 않으면 아무것도 얻지 못한다.

7 주어진 우리말을 영어로 옮길 때 괄호 안의 말을 빈칸에 알맞은 형태로 쓰시오.

✎ 고1 3월 응용

(1)
> 마음껏 창의력을 발휘하고, 셀카 사진에 관한 하나의 짧은 문장을 쓰세요.

➡ Be as _____ as you like, and write one short sentence about the selfie. (creative)

✎ 고1 9월 응용

(2)
> 비행기가 심하게 흔들리고 나는 아무것도 통제할 수 없다는 것을 느끼며 몸이 굳는다.

➡ The plane shakes hard, and I freeze, _____ like I'm not in control of anything. (feel)

8 다음 문장이 의미하는 것으로 가장 알맞은 것은?

> I wish I had more money.

① In fact, I have more money.

② I'm sorry that I have more money.

③ I'm sorry that I don't have more money.

④ I'm sorry that I had more money.

⑤ I'm sorry that I didn't have more money.

✎ 고1 11월 응용

[9~10] 다음 글을 읽고 물음에 답하시오.

Twenty-three percent of people admit to having shared a fake news story on a popular social networking site, either accidentally or on purpose, according to a 2016 Pew Research Center survey. It's tempting for me to attribute it to people being willfully ignorant. _____ ⓐ the news ecosystem has become ⓑ매우 붐비고 복잡해져서 나는 그곳을 항해하는 것이 힘든 이유를 이해할 수 있다. When in doubt, we need to cross-check story lines ourselves.

9 위 글의 빈칸 ⓐ에 들어갈 수 있는 말을 <u>모두</u> 고르면?

① Yet   ② Therefore

③ Besides   ④ Nevertheless

⑤ Thus

10 위 글의 밑줄 친 우리말 ⓑ를 괄호 안의 말을 바르게 배열하여 영어로 쓰시오.

(so, I, why, that, navigating it, understand, overcrowded and complicated, can, is challenging)

➡ _____

_____

11 다음 우리말을 영어로 바르게 옮긴 것은?

오늘은 어제만큼 춥지 않다.

① Today is so cold as yesterday.

② Today is colder than yesterday.

③ Today is not so cold as yesterday.

④ Yesterday was so cold as today.

⑤ Yesterday was not so cold as today.

✎ 고1 9월 응용

12 다음 글의 밑줄 친 ⓐ~ⓔ 중 어법상 <u>어색한</u> 것은?

Have you ever thought about how you can tell ⓐ<u>what somebody else is feeling</u>? Sometimes, friends might tell you that they are feeling happy or sad but, ⓑ<u>even if they do not tell you</u>, I am sure that you would be able to make a good guess about ⓒ<u>what kind of mood are they in</u>. You might get a clue from the tone of voice ⓓ<u>that they use</u>. For example, they may raise their voice if they are angry or talk in a shaky way ⓔ<u>if they are scared</u>.

① ⓐ   ② ⓑ   ③ ⓒ   ④ ⓓ   ⑤ ⓔ

13 다음 문장 중 어법상 <u>어색한</u> 것은?

① 2020 was the year when they got married.

② He didn't know the reason why I was angry.

③ This is the restaurant where I will have my birthday party.

④ Can you guess the reason for which Amy was absent from school?

⑤ I want to know the way how she studies English.

✎고1 9월 응용

[14~15] 다음 글을 읽고 물음에 답하시오.

In an experiment, researchers presented participants with two photos of faces and asked participants to choose the photo ⓐ that they thought was more attractive, and then handed participants that photo. ____ⓑ____ a clever trick ____ⓒ____ by stage magic, when participants received the photo, it had been switched to the photo not chosen by the participant—the less attractive photo. Remarkably, most participants accepted this photo as their own choice and then proceeded to give arguments for why they had chosen that face in the first place.

14 위 글의 밑줄 친 ⓐ와 쓰임이 <u>다른</u> 것은?

① She ate a sandwich <u>that</u> I made.

② The problem is <u>that</u> I have no money.

③ You can choose anything <u>that</u> you want.

④ He has found the cell phone <u>that</u> he lost.

⑤ This is the cutest puppy <u>that</u> I've ever seen.

15 위 글의 빈칸 ⓑ와 ⓒ에 알맞은 말이 순서대로 바르게 짝 지어진 것은?

① Use – inspire

② Used – inspired

③ Used – inspiring

④ Using – inspiring

⑤ Using – inspired

7일 끝!

정답과 해설

 정답과 해설 활용 안내

💎 정답 박스로 빠르게 정답 확인하기!

💎 자세한 설명을 통해 내용 확실하게 익히기!

💎 영문 해석을 보며 내용 다시 확인하기!

7일 끝! 정답과 해설

1일 기초 확인 문제 9쪽

1 (1) broken (2) sleeping (3) watching (4) called
2 (1) Going to the market (2) Running to school
　(3) Not knowing how to solve the problem
　(4) Going to bed
3 (1) fallen leaves (2) Studying hard

1 (1) 목적어와 목적격 보어가 수동 관계이므로 과거분사가 알
　맞다.
　해석 나는 그 문이 부서진 것을 발견했다.
　(2) 능동·진행의 의미로 cat을 수식하는 현재분사가 알맞다.
　해석 탁자 밑에 잠자고 있는 고양이가 있다.
　(3) 주어와 주격 보어가 능동 관계이므로 현재분사가 알맞다.
　해석 많은 사람들이 일식을 보며 서 있다.
　(4) 수동의 의미로 dessert를 수식하는 과거분사가 알맞다.
　해석 그녀는 점심식사 후에 마카롱이라고 불리는 디저트를 먹
　었다.

2 분사구문은 부사절의 접속사와 주어를 없애고 동사를 현재분
　사 형태로 바꾸면 된다.
　(3) 분사구문의 부정은 분사 앞에 not을 쓴다.
　해석 (1) 시장에 가면 너는 그것을 살 수 있다.
　(2) 그녀는 학교로 달려갔지만 학교에 지각했다.
　(3) 나는 그 문제를 어떻게 풀지 몰라서 선생님께 여쭤보았다.
　(4) 자기 전에 그는 숙제를 끝마쳤다.

3 (1) '떨어진'은 완료의 의미이므로 과거분사 fallen으로 명사
　leaves를 앞에서 수식한다.
　(2) '열심히 공부하면'을 두 단어로 표현해야 하므로 접속사와
　주어를 생략하고 분사구문으로 쓴다.

1일 기초 확인 문제 11쪽

4 (1) Raised (2) Having lost (3) Not having (4) It being
5 (1) It being rainy (2) Having drunk a bottle of water
　(3) The concert being over (4) (Being) Seriously injured
6 (1) Frankly speaking (2) with, closed

4 (1) 수동태 분사구문에서는 보통 Being을 생략하므로,
　(Being) Raised ~가 적절하다.
　해석 중국에서 자라서 그는 중국어를 잘 말한다.
　(2) 주절보다 앞선 시제이므로 완료 분사구문(having + 과거
　분사)이 적절하다.
　해석 지갑을 잃어버렸기 때문에 그녀는 기차표를 살 수 없었다.
　(3) 완료 분사구문의 부정은 'not having + 과거분사'의 형태
　로 쓴다.
　해석 열심히 공부하지 않았기 때문에 그는 시험에 떨어졌다.
　(4) 부사절과 주절의 주어가 다를 때는 주어를 생략하지 않고
　분사 앞에 써야 한다.
　해석 눈이 와서 나는 집에 머물렀다.

5 (1) 접속사 when을 없애고, 부사절과 주절의 주어가 다르므로
　주어 it을 생략하지 않고 분사 being 앞에 써야 한다.
　해석 비가 올 때 나는 때때로 우울하다.
　(2) 주절보다 앞선 시제이므로 완료 분사구문(having + 과거
　분사)으로 써야 한다.
　해석 물을 한 병 마셨지만 나는 아직 목이 마르다.
　(3) 접속사 though를 없애고, 부사절과 주절의 주어가 다르므
　로 주어 the concert를 생략하지 않고 분사 being 앞에
　써야 한다.
　해석 콘서트가 끝났지만 사람들은 집에 가지 않았다.
　(4) 접속사와 주어를 없애고 was를 Being으로 바꾸는데, 수
　동태의 분사구문에서는 보통 Being을 생략한다.
　해석 심하게 다쳐서 그는 병원에 입원했다.

6 (1) 부사절의 주어가 일반인일 때 주어를 생략하고 관용어처럼
　쓰이는 비인칭 독립분사구문이다.
　(2) her eyes와 close는 수동 관계이므로, '~가 …하여진 채
　로'라는 뜻의 'with + 명사(구) + 과거분사'로 쓴다.

1 practicing ballet　**2** ②　**3** ②　**4** ①
5 Having been　**6** feel → feeling　**7** ③　**8** ④

1 부사절의 주어가 주절과 같으므로 접속사와 주어를 없애고 동사를 현재분사 형태로 고친다.
해석 그녀는 파트너와 발레 연습을 할 때 무릎을 다쳤다.

2 '~하기를 바라면서'라는 의미를 나타내는 분사구문이므로 현재분사 hoping이 알맞다.
해석 우리는 우리가 알고 있는 사람들에게 연락 없이 오랜 기간의 시간을 보내는 경향이 있다. 그러다 우리는 생겨 버린 거리감을 갑자기 알아차리고 허둥지둥 수리를 한다. 우리는 우리가 오랫동안 이야기하지 못했던 사람들에게 전화하면서, 작은 노력 하나가 우리가 만들어낸 몇 달과 몇 년의 거리를 지우길 바란다.

3 ② '덮여 있는'이라는 수동의 의미로 beach를 수식하므로 과거분사로 써야 한다. → covered
해석 ① 1800년대에 만들어진 조각상이 있다.
② 나는 오염물질로 덮여 있는 해변을 보았다.
③ 바닥에 깨진 안경이 있다.
④ 무대에서 노래하고 있는 여자는 내 여동생이다.
⑤ 나는 짖고 있는 개를 무서워한다.

4 '일반적으로 말해서'는 관용어처럼 쓰이는 비인칭 독립분사구문으로 generally speaking으로 표현한다.
해석 ② 대충 말해서 ③ 솔직히 말해서 ④ 엄밀히 말해서
⑤ ~ 이야기가 나와서 말인데

5 수동태의 분사구문에서 Being 또는 Having been은 보통 생략한다.
해석 3년 전에 샀지만 이 운동화는 지금 유행에 뒤떨어지지 않는다.

6 밑줄 친 부분은 동시동작을 나타내는 분사구문이 되어야 하므로 feel을 현재분사형으로 고쳐야 한다.
해석 나는 비행기를 타고, 이륙해서, 밤하늘로 올라간다. 몇 분 되지 않아 비행기가 심하게 흔들리고 나는 아무것도 통제할 수 없다는 것을 느끼며 몸이 굳는다. 왼쪽 엔진은 동력을 잃기 시작하고 오른쪽 엔진은 이제 거의 멈췄다. 비가 조종석 창에 부딪히고 나는 더 악화되는 기상 속으로 들어간다. 나는 풍속에 보조를 맞추는 것이 어렵다.

7 내용상 조건을 나타내는 분사구문이므로 부사절의 접속사로 If가 알맞다.
해석 열심히 연습하면 너는 시합에서 이길 것이다.

8 〈보기〉와 ④의 밑줄 친 부분은 현재분사이고, 나머지는 모두 동명사이다.
해석 〈보기〉 손을 흔들고 있는 소녀는 내 친구이다.
① 그는 줄을 서는 것에 지쳤다.
② 그녀는 꽃 사진 찍는 것을 즐긴다.
③ 제가 TV를 켜도 될까요?
④ 나는 그녀가 문 앞에 서 있는 것을 발견했다.
⑤ 새로운 친구를 사귀는 것은 나에게 조금 어렵다.

1 (1) am (2) have (3) that (4) where he lives
2 (1) are → is (2) or → nor (3) did you do → you did
　　(4) Do you think what → What do you think
3 (1) not, but (2) Do you know why

1 (1) 'B as well as A(A뿐만 아니라 B도)'가 주어일 때 동사는 B에 맞춘다.
해석 Brian뿐만 아니라 나도 음악을 듣고 있다.

(2) 'both A and B'는 복수 취급한다.
해석 Sally와 그녀의 여동생은 둘 다 금발 머리이다.

(3) '~라는 것'의 뜻으로 명사(보어)절을 이끄는 접속사 that이 알맞다.
해석 문제는 내가 비밀번호를 잊어버렸다는 것이다.

(4) 의문사가 있는 경우 간접의문문은 '의문사 + 주어 + 동사'의 형태로 쓴다.
해석 나는 그가 어디에 사는지 모른다.

2 (1) 'not only A but also B(A뿐만 아니라 B도)'가 주어일 때 동사는 B에 맞춘다.
해석 연필뿐만 아니라 지우개도 필요하다.

(2) neither A nor B: A도 B도 아닌
해석 그는 술도 마시지 않고 담배도 피우지 않는다. 그래서 그는 매우 건강하다.

(3) 의문사가 있는 경우 간접의문문은 '의문사 + 주어 + 동사'의 형태로 쓴다.

[해석] 나는 네가 어제 뭘 했는지 궁금하다.

(4) 주절의 동사가 think이므로 간접의문문의 의문사를 문장 맨 앞에 써야 한다.

[해석] 너는 그녀가 여가 시간에 무엇을 한다고 생각하니?

3 (1) not A but B: A가 아니라 B

(2) 의문사가 있는 의문문이 다른 문장의 일부가 되면 '의문사 + 주어 + 동사'의 순서로 쓴다.

2일 기초 확인 문제　　　　　19쪽

4 (1) If (2) Otherwise (3) When (4) In addition
5 (1) so, that, can't (2) Unless (3) (al)though
6 (1) On the other hand (2) as soon as

4 (1) if: 만약 ~라면 / unless: 만약 ~ 아니라면

[해석] 만약 배가 아프면 이 약을 먹어.

(2) besides: 게다가 / otherwise: 그렇지 않으면

[해석] 너는 서둘러야 한다. 그렇지 않으면 너는 기차를 탈 수 없다.

(3) when: ~할 때 / though: 비록 ~이지만

[해석] 나는 인도에 있을 때 타지마할을 보러 갔다.

(4) therefore: 그러므로 / in addition: 게다가

[해석] 내 개는 아주 귀엽다. 게다가 아주 똑똑하다.

5 (1) 'too ~ to부정사'는 'so ~ that ... can't(너무 ~해서 …할 수 없다)'로 바꿔 쓸 수 있다.

[해석] 그 스마트폰은 너무 비싸서 그녀는 그것을 살 수 없다.

(2) if ~ not은 unless(만약 ~ 아니라면)로 바꿔 쓸 수 있다.

[해석] 열심히 공부하지 않으면 너는 좋은 성적을 받지 못할 것이다.

(3) '비록 ~이지만'의 의미를 나타내는 접속사 though 또는 although가 알맞다.

[해석] 해가 비추지만 날씨가 매우 춥다.

6 (1) '반면에'는 on the other hand로 쓸 수 있다.
(2) '~하자마자'는 as soon as로 쓸 수 있다.

2일 적중 예상 베스트　　　　　20~21쪽

1 as well as　**2** ④　**3** can I → I can　**4** ②
5 so, that, can　**6** ⑤　**7** if[If]　**8** ③

1 'A뿐만 아니라 B도'는 'not only A but also B' 또는 'B as well as A'로 표현할 수 있다.

2 ④ 내용상 though(비록 ~이지만)는 어울리지 않는다. 조건을 나타내는 접속사 if(만약 ~라면)로 고쳐야 자연스럽다.

[해석] 협상에서, 여러분은 신경을 쓰지 않지만 상대편에서는 매우 신경을 쓰는 이슈들이 흔히 있을 것이다! 이러한 이슈들을 알아보는 것은 중요하다. 예를 들어, 여러분은 새로운 직장 생활을 6월에 시작하든지 7월에 시작하든지 신경 쓰지 않을 수도 있다. 그러나 장차 여러분의 상사가 될 사람이 가능한 한 빨리 여러분이 일을 시작하기를 강력히 원한다면, 그것은 귀중한 정보이다.

3 간접의문문은 의문사가 접속사 역할을 하며 '의문사 + 주어 + 동사'의 어순으로 쓴다.

[해석] 그 수학 문제를 어떻게 풀 수 있는지 나에게 말해 줄래?

4 앞에 not only가 있으므로 빈칸에는 but (also)가 들어가야 알맞다. also는 생략이 가능하다.

[해석] 한번은 어떤 교사가 한 학생으로부터 다양한 주제에 관한 서로 관련 없는 14개의 질문을 하고 있는 편지를 받았다. 교사는 그 질문들 중에서 13개를 다룬 긴 답장을 써서 보냈다. 그는 곧 학생에게서 답장을 받았는데, 그는 누락된 것을 지적했을 뿐만 아니라, 선생님이 써 준 것에 대해 어떠한 감사도 표현하지 않았다.

5 '형용사/부사 + enough + to부정사'는 '~할 정도로 충분히 …한/하게'라는 뜻으로 'so + 형용사/부사 + that + 주어 + can + 동사원형(매우[너무] ~해서 …할 수 있다)'으로 바꿔 쓸 수 있다.

[해석] 그녀는 매우 부유해서 그 차를 살 수 있다.

6 내용상 결과의 의미를 나타내는 접속부사가 들어가야 하므로 otherwise는 알맞지 않다.

[해석] 소비자들은 일반적으로 높은 위험을 무릅쓰는 것을 불편해한다. 그 결과, 소비자들은 대개 위험을 줄이기 위해 많은 전략을 사용하도록 동기 부여를 받는다. 소비자들은 온라인 조사를 하거나, 뉴스 기사를 읽거나, 친구들에게 이야기하거나 혹은 전문가에게 자문을 구함으로써 추가 정보를 수집할 수 있다.
① 따라서 ② 그래서 ③ 그러므로 ④ 그 결과 ⑤ 그렇지 않으면

7 '~인지 아닌지'의 의미로 명사절을 이끌고, '만약 ~라면'의 의미로 부사절을 이끄는 접속사는 if이다.
[해석] · 나는 네가 회의에 올 수 있는지 궁금하다.
· 내일 눈이 오면 나는 눈사람을 만들 것이다.

8 첫 번째 빈칸은 not just[only] *A* but (also) *B* 구문이므로 not just 뒤와 동일하게 접속사 because가 들어가야 한다. 두 번째 빈칸은 '~할 때'라는 의미로 시간의 부사절을 이끄는 접속사 When이 알맞다.
[해석] 시간을 내서 만화란을 읽어라. 그것이 여러분을 웃게 만들기 때문일 뿐만 아니라 그것이 삶의 본질에 관한 지혜를 담고 있기 때문에 만화를 읽는 것은 가치가 있다. 신문 만화란을 읽을 때, 여러분을 웃게 하는 만화를 잘라 내라. 그것을 여러분이 가장 필요로 하는 곳 어디에든지 붙여라.

3일 **기초 확인 문제** 25쪽

1 (1) who (2) that (3) what (4) help
2 (1) what[the thing(s) that] (2) which
   (3) whose (4) who
3 (1) He often buys things he doesn't need.
   (2) She gave me what I wanted to have.

1 (1) 뒤에 동사가 이어지므로 주격 관계대명사가 알맞다.
   [해석] 너는 저쪽에 서 있는 남자를 아니?
   (2) 뒤에 '주어 + 동사'가 이어지므로 목적격 관계대명사가 알맞다.
   [해석] 나는 친구에게 빌렸던 책을 돌려주었다.
   (3) 앞에 선행사가 없고, 보어 역할을 하는 명사절을 이끌어야 하므로 관계대명사 what이 알맞다.
   [해석] 이것은 내가 계속 찾고 있던 것이다.
   (4) 주격 관계대명사 뒤에 오는 동사의 수는 선행사에 일치시킨다. those가 복수이므로 help가 알맞다.

[해석] 하늘은 스스로 돕는 자를 돕는다.

2 (1) 선행사가 없으므로 관계대명사 what으로 고치거나 앞에 선행사 the thing(s)가 와야 한다.
   [해석] 나는 방금 내가 들은 것을 믿을 수가 없다.
   (2) 앞에 전치사가 있을 때 관계대명사 that은 쓸 수 없다. 선행사가 사물이므로 which로 고쳐야 한다.
   [해석] 이것은 나의 어머니가 일하시는 건물이다.
   (3) 선행사(the house)와 뒤의 명사(roof)가 소유 관계이므로 소유격 관계대명사로 고쳐야 한다.
   [해석] 그는 지붕이 빨간색인 집에 산다.
   (4) 관계대명사 that은 계속적 용법으로 쓸 수 없다. 선행사가 사람이므로 who로 고쳐야 한다.
   [해석] Ann은 언니가 한 명 있는데, 언니는 유명한 배우이다.

3 (1) things가 선행사이며, 목적격 관계대명사가 생략된 문장이다.
   (2) '주어 + 수여동사(gave) + 간접목적어 + 직접목적어' 어순이고 선행사를 포함하는 관계대명사 what(~하는 것)이 이끄는 절이 직접목적어가 된다.

3일 **기초 확인 문제** 27쪽

4 (1) where (2) why (3) Whoever (4) whatever
5 (1) the way how → the way 또는 how
   (2) whenever → when[that/in which] (3) how → why
   (4) whatever → wherever
6 (1) This is the house where my grandmother lives.
   (2) Whenever he washes his car, it rains. [It rains whenever he washes his car.]

4 (1) 선행사(the road)가 장소이므로 관계부사 where가 알맞다.
   [해석] 이곳은 사고가 일어났던 도로이다.
   (2) 선행사(the reason)가 이유이므로 관계부사 why가 알맞다.
   [해석] 나는 네가 화가 난 이유를 모른다.

(3) 내용상 '누가 ~하더라도'의 의미인 복합 관계대명사 Whoever가 알맞다.

[해석] 누가 문을 두드리더라도 절대 열어주지 마라.

(4) 앞에 선행사가 없으므로 선행사를 포함하는 복합 관계대명사 whatever가 알맞다.

[해석] 나는 그가 말하는 것은 무엇이든지 믿지 않는다.

5 (1) the way와 how는 함께 쓸 수 없으므로 둘 중 하나를 생략해야 한다.

[해석] 이 복사기가 어떻게 작동되는지 설명해 줄 수 있니?

(2) 시간을 나타내는 선행사(the year)가 있으므로 whenever가 아니라 관계부사 when을 써야 한다. when 대신 관계부사 that 또는 in which를 쓸 수도 있다.

[해석] 2015년은 그들이 결혼한 해였다.

(3) 선행사가 the reason이므로 관계부사 how가 아니라 why를 써야 한다.

[해석] 그것이 그녀가 해고된 이유이다.

(4) 내용상 whatever 대신 '어디에 ~하더라도'의 뜻으로 양보의 부사절을 이끄는 복합 관계부사 wherever를 쓰는 것이 자연스럽다.

[해석] 나의 개는 내가 어디에 가더라도 나를 따라다닌다.

6 (1) 관계부사 where가 이끄는 절이 선행사 the house를 수식한다.

(2) 복합 관계부사 whenever(~할 때마다)가 부사절을 이끈다.

3일 적중 예상 베스트 28~29쪽

1 July is the month when we have a lot of rain.
2 ⑤   **3** Wherever I am
4 Attaining the life which[that] a person wants is simple.
5 which is   **6** ⑤   **7** whatever   **8** ④

1 the month가 선행사가 되고, 관계부사 when이 이끄는 절이 the month를 뒤에서 수식한다.

2 ①~④는 선행사를 포함하며 명사절을 이끄는 관계대명사 what이 들어간다. ⑤는 선행사(the red shoes)가 사물이

고 목적격 관계대명사가 필요하므로 관계대명사 which 또는 that이 들어간다.

[해석] ① 이것은 내가 먹고 싶은 것이다.
② 그것은 내가 찾고 있던 것이다.
③ 방금 말한 것을 다시 말씀해 주세요.
④ 모두가 그가 했던 일에 놀랐다.
⑤ 나는 네가 신고 있는 빨간색 신발이 마음에 든다.

3 no matter where(어디에 ~하더라도)는 복합 관계부사 wherever로 바꿔 쓸 수 있다.

[해석] 내가 어디에 있더라도, 나는 항상 엄마를 생각한다.

4 life 뒤에 목적격 관계대명사가 생략되어 있다. 선행사가 사물이므로 목적격 관계대명사로 which 또는 that을 쓸 수 있다.

[해석] 사람이 원하는 삶을 얻는 것은 간단하다. 하지만, 대부분의 사람들은 그들의 최선보다 덜한 것에 안주하는데 그들이 하루를 제대로 시작하지 못하기 때문이다. 만약 어떤 사람이 하루를 긍정적인 사고 방식으로 시작한다면, 그는 긍정적인 하루를 보낼 가능성이 더 높다.

5 선행사 뒤에 콤마(,)가 있고 선행사에 대한 부가적인 설명이 이어지므로 관계대명사의 계속적 용법임을 알 수 있다. 주격 관계대명사 뒤에 오는 동사의 수는 선행사에 일치시킨다.

6 ⑤ 선행사(One day)가 시간이므로 관계부사 how가 아니라 when을 써야 한다.

[해석] 오래전 작은 마을에 한 농부가 사냥꾼인 이웃을 두었다. 사냥꾼은 사납고 훈련이 형편없이 된 사냥개 몇 마리를 소유하고 있었다. 그들은 울타리를 자주 뛰어넘어 농부의 새끼 양들을 쫓아 다녔다. 농부는 그 이웃에게 그의 개들을 제지해 달라고 요청했지만, 이 말은 무시되었다. 그 개들이 울타리를 뛰어넘은 어느 날, 그들은 새끼 양 중 몇몇을 공격해서 심하게 다치게 했다.

7 내용상 '그들이 원하는 무엇이든지'라는 의미가 되어야 자연스러우므로 복합 관계대명사 whatever가 알맞다.

[해석] 감독은 자신이 관객으로 하여금 바라보기를 원하는 어떤 것에든지 단지 카메라를 향하게 하면 된다.

8 앞에 선행사가 없고, 목적어 역할을 하는 명사절을 이끌어야 하므로 관계대명사 what이 알맞다.

[해석] 어떤 사람이 여러분에게 무엇을 요청하더라도, 그것이 여러분에게 아무리 많은 불편함을 주더라도 여러분은 그들이 요구하는 것을 한다. 항상 승낙함으로써 여러분이 불편함이라는 감정을 쌓아가고 있기 때문에 이것은 건강한 삶의 방식이 아니다.

1 (1) cold (2) hotter (3) than (4) much

2 (1) larger → large (2) angriest → angrier (3) so → as
(4) no → any

3 (1) four times as big as (2) as early as possible

1 (1) not as[so] + 원급 + as ~: ~만큼 …하지 않은[않게]
해석 오늘은 어제만큼 춥지 않다.

(2) 비교급 + and + 비교급: 점점 더 ~한
해석 점점 더 더워지고 있다.

(3) not more than: 기껏해야
해석 그 집은 기껏해야 3개의 방이 있다.

(4) 비교급을 강조하므로 much가 알맞다. very는 비교급을
강조할 수 없다.
해석 그의 개는 나의 고양이보다 훨씬 더 크다.

2 (1) as + 원급 + as ~: ~만큼 …한[하게]
해석 내 방은 네 방만큼 크다.

(2) the + 비교급 ~, the + 비교급 …: ~하면 할수록 더 …하다
해석 Andy는 더 오래 기다릴수록 더 화가 났다.

(3) as + 원급 + as + 주어 + can: 가능한 한 …한[하게]
해석 그녀는 가능한 한 빨리 그 일을 끝마치려고 노력했다.

(4) not ~ any longer: 더 이상 ~ 않는다
해석 그는 더 이상 이곳에 살지 않는다.

3 (1) '~보다 몇 배 더 …한'은 '배수 표현 + as + 원급 + as ~'로
표현한다.
(2) '가능한 한 ~한[하게]'는 'as + 원급 + as possible'로 표현
한다.

4 (1) most wonderful (2) students (3) of (4) than

5 (1) taller, building (2) taller than, buildings
(3) No, taller than (4) No, tall as

6 (1) the longest river (2) of the most beautiful countries

4 (1) the + 최상급 + 명사(+ that) + 주어 + have/has ever +
과거분사: 지금까지 ~한 것 중 가장 …한
해석 그것은 내가 지금까지 본 것 중 가장 멋진 사진이다.

(2) one of the + 최상급 + 복수명사: 가장 …한 ~ 중 하나
해석 그는 우리 학교에서 가장 키 큰 학생 중 한 명이다.

(3) the + 최상급 + of + 복수명사: ~ 중에서 가장 …한
해석 유미는 셋 중에서 가장 나이가 많다.

(4) No + 명사 ~ + 비교급 + than: 어떤 -도 ~보다 더 …하지
않다
해석 어떤 것도 우리의 건강보다 더 중요하지 않다.

5 원급과 비교급을 이용하여 최상급과 같은 의미를 나타낼 수
있다.
해석 이것은 우리 마을에서 가장 높은 건물이다.

(1) 비교급 + than any other + 단수명사: 다른 어떤 ~보다
더 …한
(2) 비교급 + than all the other + 복수명사: 다른 모든 ~보
다 더 …한
(3) No + 명사 ~ + 비교급 + than: 어떤 -도 ~보다 …하지
않다
(4) No + 명사 ~ + as[so] + 원급 + as: 어떤 -도 ~만큼 …하
지 않다

6 (1) '~에서 가장 …한'은 'the + 최상급 + in + 장소 / 집단'으로
표현한다.
(2) '가장 …한 ~ 중 하나'는 'one of the + 최상급 + 복수명사'
로 표현한다.

1 most difficult   **2** ①   **3** than any other wall   **4** ④
5 as fast as he could   **6** ⑤   **7** smaller and smaller
8 ④

1 one of the + 최상급 + 복수명사 + in all of ~: 모든 - 중에
서 가장 …한 ~ 중 하나
해석 그는 유도에서 가장 어려운 던지기 동작 중 하나를 완전히 익
혔다.

2 형용사나 부사의 비교급을 강조하는 말로 many는 쓸 수 없다.
[해석] 만약 여러분이 동물원에 있고, 동물 우리의 창살 사이로 손을 뻗어 동물을 만질 수 있다면 여러분은 그 동물이 '가까이'에 있다고 밀할지도 모른다. 여기서 'near'라는 난어는 팔 하나 만큼의 길이를 의미한다. 여러분이 누군가에게 동네 가게에 가는 방법을 말해주고 있다면, 만약 그 거리가 걸어서 5분 거리라면 그것을 '가까이'라고 말할 수도 있을 것이다. 이제 'near'라는 단어는 팔 하나 만큼의 길이보다 훨씬 더 길다는 것을 의미한다.

3 '비교급 + than any other + 단수명사'는 '다른 어떤 ~보다 더 …한'의 의미로 최상급의 의미를 나타낸다.
[해석] 만리장성은 세계에서 가장 긴 성벽이다.

4 '~보다 몇 배 더 …한'은 '배수 표현 + as + 원급 + as ~'로 표현한다. twice: 두 배
[해석] 다섯 개 범주의 발명 분야 중에서 가장 높은 비율의 남성 응답자가 소비재를 발명하는 것에 대해 흥미를 나타냈다. 건강 과학 발명 분야에서, 여성 응답자의 비율은 남성 응답자의 비율보다 2배만큼 높았다.

5 '가능한 한 ~한[하게]'는 'as + 원급 + as possible' 또는 'as + 원급 + as + 주어 + can'으로 나타낼 수 있는데, 5단어로 써야 하고 과거시제이므로 as fast as he could가 알맞다.

6 ⑤ '~보다 몇 배 더 …한'은 '배수 표현 + 비교급 + than'으로 표현한다. → three times higher than
[해석] 사람들이 커피 값을 기부하는 양심 상자 가까이에, 연구자들은 사람의 눈 이미지와 꽃 이미지를 번갈아 가며 놓아두었다. 꽃 이미지가 놓여 있던 주들보다 눈 이미지가 놓여 있던 모든 주에 사람들이 더 많은 기부를 했다. 연구가 이루어진 10주 동안, '눈 주간'의 기부금이 '꽃 주간'의 기부금보다 거의 세 배나 많았다.

7 '점점 더 작아진다'라는 의미가 되어야 자연스럽다. '점점 더 ~한'은 '비교급 + and + 비교급'으로 표현한다.
[해석] 빙하, 바람 그리고 흐르는 물은 이 암석 조각들을 운반하는 데 도움이 되고, 작은 여행자들(암석 조각들)은 이동하면서 점점 더 작아진다.

8 '기대감이 높아질수록 만족감을 느끼기가 더 어려워진다'라는 의미이므로 '~하면 할수록 더 …하다'라는 뜻의 'the + 비교급 ~, the + 비교급 …'으로 표현한다.
[해석] 사람들은 삶이 나아질수록 더 높은 기대감을 지닌다. 하지만 기

대감이 더 높아질수록 만족감을 느끼기는 더욱 어려워진다. 우리들은 기대감을 통제함으로써 삶에서 느끼는 만족감을 향상시킬 수 있다.

5일 기초 확인 문제   41쪽

1 (1) were (2) had (3) moved (4) have trusted
2 (1) could go out (2) had snowed (3) would see
   (4) would have taken
3 (1) knew, would call
   (2) had known, would have brought

1 (1) 가정법 과거 문장의 if절에서 be동사는 주어의 인칭과 수에 관계없이 were를 쓴다.
[해석] 산소가 없다면 우리는 존재하지 못할 것이다.

(2) 과거 사실을 반대로 가정하는 가정법 과거완료 문장이므로 if절의 동사는 'had + 과거분사'로 쓴다.
[해석] 그가 바쁘지 않았다면 나를 도와줬을 텐데.

(3) 현재 사실을 반대로 가정하는 가정법 과거 문장이므로 if절의 동사는 과거형으로 쓴다.
[해석] 미국으로 이사 간다면 나는 뉴욕에 살 텐데.

(4) 과거 사실을 반대로 가정하는 가정법 과거완료 문장이므로 주절의 동사는 '조동사의 과거형 + have + 과거분사'로 쓴다.
[해석] 그녀가 진실을 알았더라면 그를 믿었을 텐데.

2 (1) 가정법 과거 문장이므로 주절은 '조동사의 과거형 + 동사원형'이 되어야 한다.
[해석] 춥지 않으면 나는 밖에 나갈 수 있을 텐데.

(2) 혼합 가정법 문장이므로 if절의 동사는 'had + 과거분사'가 되어야 한다.
[해석] 어젯밤에 눈이 왔다면 지금 길이 미끄러울 텐데.

(3) 가정법 과거 문장이므로 주절의 동사는 '조동사의 과거형 + 동사원형'이 되어야 한다.
[해석] 네가 여기에 산다면 나는 매일 너를 볼 텐데.

(4) 가정법 과거완료 문장이므로 주절의 동사는 '조동사의 과거형 + have + 과거분사'가 되어야 한다.
[해석] 그가 카메라를 가지고 있었다면 내 사진을 찍어줬을 텐데.

3 (1) 현재 사실을 반대로 가정할 때는 'If + 주어 + 동사의 과거형 ~, 주어 + 조동사의 과거형 + 동사원형 ...'의 가정법 과거로 쓴다.

(2) 과거 사실을 반대로 가정할 때는 'If + 주어 + had + 과거분사 ~, 주어 + 조동사의 과거형 + have + 과거분사 ...'의 가정법 과거완료로 쓴다.

5일 **기초 확인 문제** 43쪽

4 (1) had (2) as if (3) Without (4) were not
5 (1) had not slept (2) had (3) Without[But for] her
(4) could have arrived
6 (1) wish, could be (2) Without his help

4 (1) 'I wish + 가정법 과거완료'는 'I wish + 주어 + had + 과거분사'의 형태로 쓴다.
해석 나는 엄마의 충고를 들었더라면 좋을 텐데.

(2) 'as if + 주어 + were' 형태의 가정법 과거 문장이다.
해석 그 소녀는 자신이 캐나다인인 것처럼 말한다.

(3) '~이 없다면, …할 것이다'라는 의미의 'Without + 가정법 과거' 문장이다.
해석 지도가 없다면 나는 도서관을 찾지 못할 것이다.

(4) 주절이 '조동사의 과거형 + 동사원형'이므로 If it were not for ~가 알맞다.
해석 스마트폰이 없다면 우리는 친구들과 쉽게 연락을 주고받을 수 없을 것이다.

5 (1) 'as if + 가정법 과거완료'는 'as if + 주어 + had + 과거분사'로 쓴다.
해석 그는 잠을 잘 못 잤던 것처럼 보인다.

(2) 현재 이루기 힘든 소망을 나타내므로 'I wish + 가정법 과거'로 표현해야 한다.
해석 나는 돈이 많지 않다. 나에게 많은 돈이 있다면 좋을 텐데.

(3) '~이 없(었)다면'의 의미로 가정할 때는 Without ~ 또는 But for ~로 표현한다.
해석 그녀가 없었다면 그 농구팀은 경기에서 이길 수 없었을 것이다.

(4) if절로 보아 가정법 과거완료이므로 주절은 '조동사의 과거형 + have + 과거분사'로 써야 한다.
해석 교통 체증이 없었다면 나는 그곳에 제시간에 도착할 수 있었을 것이다.

6 (1) '~라면 좋을 텐데'라는 의미로 현재 이루기 힘든 소망을 나타낼 때 'I wish + 가정법 과거'로 쓸 수 있다.

(2) '~이 없었다면, …했을 것이다'는 'Without + 가정법 과거완료'로 쓸 수 있다.

5일 **적중 예상 베스트** 44~45쪽

1 have been **2** ⑤ **3** if he had not returned it
4 ④ **5** ③ **6** ①, ⑤ **7** will end → would end
8 ②

1 과거의 사실을 반대로 가정하는 가정법 과거완료이므로 주절의 동사는 '조동사의 과거형 + have + 과거분사'의 형태로 쓴다.
해석 만약 그가 알람 소리를 들었다면, 그는 회사에 지각하지 않았을 것이다.

2 과거의 사실과 반대의 상황을 가정할 때는 'If + 주어 + had + 과거분사 ~, 주어 + 조동사의 과거형 + have + 과거분사 ...'의 형태로 쓴다. 주어진 문장과 반대의 상황이므로 각각 had not rained, would not have been delayed로 not이 들어가는 것에 주의한다.
해석 비가 아주 많이 왔기 때문에 버스가 지연되었다.
→ 만약 비가 아주 많이 오지 않았다면, 버스는 지연되지 않았을 것이다.

3 주절과 if절의 시제가 일치하지 않을 경우 혼합 가정법 문장으로 쓴다. 혼합 가정법은 'If + 주어 + had + 과거분사 ~, 주어 + 조동사의 과거형 + 동사원형 ...'의 형태로 쓴다.

4 If you were ~로 보아 가정법 과거 문장임을 알 수 있다. 가정법 과거의 주절은 '주어 + 조동사의 과거형 + 동사원형'의 형태로 쓴다.
해석 여러분이 큰 건물에서 사교 모임에 있고 누군가가 '지붕이 불타고 있어'라고 말하는 것을 우연히 듣게 된다면, 여러분의 반응은 무엇일까? 여러분이 더 많은 정보를 알 때까지, 여러분의 맨 처음 마음은 안전과 생존을 향할 것이다.

5 'as if + 가정법 과거'는 주절과 같은 시점의 사실을 반대로 가정하는 것이므로 ③이 알맞다.
[해석] Alice는 자신이 부자인 것처럼 돈을 쓴다.
① 사실 Alice는 부자이다.
② 사실 Alice는 부자였다.
③ 사실 Alice는 부자가 아니다.
④ 사실 Alice는 부자가 아니었다.
⑤ 사실 Alice는 부자가 되고 싶다.

6 '~이 없었다면, …했을 것이다'라는 의미의 'Without + 가정법 과거완료' 문장이다. 이때 Without ~은 But for ~ 또는 If it had not been for ~로 바꿔 쓸 수 있다.
[해석] 너의 도움이 없었다면 나는 그 문제를 풀지 못했을 것이다.

7 '~라면 좋을 텐데'라는 뜻으로 현재 이루기 힘든 소망을 나타낼 때 'I wish + 주어 + 동사의 과거형'으로 표현한다.
[해석] 그녀는 땀을 흘리면서 비를 가져오지 않는 공허한 천둥소리를 들으면서 그곳에 누워 있었고, "가뭄이 끝나면 좋을 텐데."라고 속삭였다.

8 ② '마치 ~인[하는] 것처럼'의 의미로 주절과 같은 시점의 사실과 반대되는 상황을 가정할 때는 'as if + 주어 + 동사의 과거형'으로 쓴다. 이때 as if 대신 as though를 쓸 수도 있다.
→ did not exist
[해석] 너무도 많은 회사들이 마치 경쟁자들이 존재하지 않는 것처럼 신제품들을 광고한다. 그들은 (비교 대상이 없는) 공백의 상황에서 제품들을 광고하고 나서 자신들의 메시지가 도달하지 못할 때 실망한다. 특히 새로운 범주가 이전 것과 대조되지 않는다면 새로운 제품 범주를 도입하는 것은 어렵다. 새롭고 특이한 것이 예전의 것과 연결되지 않는다면 소비자들은 일반적으로 관심을 주지 않는다.

6일 누구나 100점 테스트 1회   46~47쪽

1 ② **2** ⑤ **3** ② **4** ① **5** ③ **6** either, or
7 ② **8** scouting

1 ②의 that은 명사절을 이끄는 접속사이고, 나머지는 모두 관계대명사이다.

[해석] ① 그는 내가 사준 신발을 신고 있다.
② 나는 엄마에게 매우 배가 고프다고 말했다.
③ 너는 원하는 어떤 것이든 고를 수 있다.
④ 이것은 내가 지금까지 본 것 중 가장 높은 건물이다.
⑤ 화요일은 월요일 다음에 오는 날이다.

2 부사절의 시제가 주절보다 앞선 시제이므로 완료 분사구문으로 쓴다. not은 'having + 과거분사' 앞에 써야 한다.
[해석] 나는 시험 준비를 하지 않았기 때문에, 좋은 성적을 받지 못했다.

[3-4] [해석] 나는 글로벌 매니지먼트 컨설턴트인 Kenichi Ohmae에게 한 회사가 성공할지에 대해 그가 알아차릴 수 있는지를 물었다. 그가 어떤 조직에 있었을 때 이 회사가 승리자가 될 것이라고 암시하는 그가 눈치채고 알아차릴 수 있는 어떤 것이 있었을까? 그는 "그렇습니다"라고 말하며 "만약 한 회사가 질문하는 것을 두려워하지 않고, 만약 CEO부터 사환까지 모든 사람이 질문하고, 만약 그들이 '왜 우리는 그것을 이런 방식으로 하나요?'와 같은 질문을 한다면, 이 회사는 성공할 것입니다."라고 덧붙였다. 그래서 탐구심은 미래 성공을 위한 핵심적인 요소이다.

3 ⓐ, ⓑ 모두 '~인지 아닌지'의 의미로 명사절을 이끄는 접속사 if 또는 whether가 들어갈 수 있다.

4 결과의 의미를 나타내는 접속사 So가 알맞다.
[해석] ① 그래서 ② ~ 때문에 ③ 더욱이 ④ 하지만 ⑤ 그렇지 않으면

5 선행사가 사람이므로 주격 관계대명사로 who를 쓰고, 관계대명사 that은 계속적 용법으로 쓸 수 없다.

6 'A 또는 B 둘 중 하나'는 'either *A* or *B*'로 표현한다.

[7-8] [해석] Alamda 고등학교 교장 선생님께,
청소년 축구 토너먼트 시리즈를 대표하여 귀하에게 다음 주 2019 시리즈에 대해 상기시켜 드리고 싶습니다. 물론 저희는 선수의 교육의 중요성을 알고 있습니다. 하지만, 유감스럽게도 시리즈는 선수들이 대회 때문에 이틀 동안 학교를 빠지는 결과를 야기할 것입니다. 이 경기들에 유망한 학생 선수들을 스카우트하는 많은 대학 코치들이 참석할 것입니다. 그러므로 이 시리즈는 어린 축구 선수들이 운동선수로서 자신의 역량을 보여줄 수 있는 엄청난 기회가 될 수 있습니다.

7 앞뒤에 상반되는 내용이 나오므로 대조의 의미를 나타내는 however가 알맞다.

① 그러므로 ② 하지만 ③ 게다가 ④ 결과적으로 ⑤ 반면에

8 '스카우트하는'이라는 능동의 의미로 coaches를 수식하므로 현재분사가 알맞다.

6일 **누구나 100점 테스트 2회**　　48~49쪽

1 ③　**2** ③　**3** ④　**4** Every time when we eat
5 ④　**6** ④　**7** ②　**8** ③

1 '~이 없다면'의 의미로 현재 있는 것을 없다고 가정할 때 Without ~, But for ~, If it were not for ~로 쓸 수 있다.
해석 나는 나의 개 때문에 외롭지 않다.
③ 나의 개가 없다면, 나는 아주 외로울 것이다.

2 부사절의 접속사와 주어를 없애고 동사를 현재분사 형태로 바꿔 분사구문으로 쓸 수 있다. 분사구문의 부정은 분사 앞에 not을 쓴다.
해석 그녀는 역까지 달리지 않았기 때문에 기차를 탈 수 없었다.

[3-4] 해석 "배가 마음을 다스린다."라고 하는 유명한 스페인 속담이 있다. 이것은 임상적으로 증명된 사실이다. 음식은 원래 마음을 지배하는 약이다. 우리가 먹을 때마다 우리는 자신의 두뇌에 화학 물질의 향연을 퍼부어 우리가 생각하는 방식에 직접적으로 영향을 미치는 폭발적인 호르몬의 연쇄 반응을 유발한다. 수많은 연구는 좋은 식사로 유발된 긍정적인 감정 상태가 우리의 설득되는 수용성을 높인다는 것을 보여줘 왔다.

3 ⓓ 관계부사 how와 선행사 the way는 함께 쓸 수 없고, 둘 중 하나를 생략해야 한다. → the way 또는 how

4 every time 뒤에 관계부사 when이 생략되어 있다. 관계부사는 선행사를 수식하는 절을 이끌며 접속사와 부사의 역할을 한다.

5 ④를 제외한 나머지는 모두 '이 차가 가장 비싼 차이다.'라는 의미이고, ④는 '이 차는 가장 비싼 차들 중 하나이다.'라는 의미이다.

6 과거 사실을 반대로 가정할 때는 가정법 과거완료(If + 주어 +

---

had + 과거분사 ~, 주어 + 조동사의 과거형 + have + 과거분사 ...)로 나타낼 수 있다.
해석 그녀는 피곤했기 때문에 친구들을 만나러 가지 않았다.
④ 만약 그녀가 피곤하지 않았다면 그녀는 친구들을 만나러 갔을 것이다.

[7-8] 해석 여러분이 할 수 없는 것을 말할 때마다, 여러분이 할 수 있는 것을 말하라. 이것은 긍정적인 어조로 문장을 마무리하는 것이고 누군가의 이의 제기를 불러일으킬 수 있는 경향을 훨씬 더 낮춘다. 한 동료가 여러분에게 다가와서 내일 회의를 하기 전에 일부 수치를 검토해 보자고 요청하는 상황의 대화를 생각해 보아라. 여러분은 그저 '안돼요, 지금은 이 일을 할 수 없어요.'라고 말한다. 그 대신, '저는 지금 그 일을 할 수 없지만 제가 Brain에게 당신을 도와주라고 부탁할 수는 있어요. 그러면 그가 그 수치를 설명해 줄 수 있을 것 같아요.'라고 그들에게 말해보라.

7 ⓐ는 목적어, ⓒ는 주어 역할을 하는 명사절을 이끌며 선행사를 포함하는 관계대명사 what이 알맞다.

8 비교급을 강조하는 부사가 들어가야 한다. more는 비교급을 강조할 수 없다.

6일 **창의·융합·서술·코딩 테스트 1회**　　50~51쪽

Ⓐ 1 He received a report card which[that] he was not satisfied with. [He received a report card with which he was not satisfied.]
　2 Emma bought a sports car whose color is yellow. [Emma bought a sports car of which the color is yellow.]
Ⓑ 1 were hungry, could eat
　2 had not ignored the traffic signal, would not have had
Ⓒ 1 Not feeling tired, she watched TV all night long.
　2 Having lost his wallet, he couldn't buy the concert tickets.
Ⓓ 1 twice as big as　**2** getting hotter and hotter

Ⓐ 1 a report card가 선행사가 되고 목적격 관계대명사 which나 that으로 선행사를 수식하는 절을 쓸 수 있다. 이때 전치

사 with를 관계대명사 which 앞에 쓸 수도 있다.

[해석] 그는 성적표를 받았다. 그는 그것에 만족스럽지 않았다.

→ 그는 만족스럽지 않은 성적표를 받았다.

2 a sports car가 선행사가 되고 소유격 관계대명사 whose로 선행사를 수식하는 절을 쓸 수 있다. whose color 대신 of which the color를 쓸 수도 있다.

[해석] Emma는 스포츠카를 샀다. 그 차의 색깔은 노란색이다.

→ Emma는 색깔이 노란색인 스포츠카를 샀다.

B 1 현재 사실과 반대의 상황을 가정할 때는 가정법 과거인 'If + 주어 + were/동사의 과거형 ~, 주어 + 조동사의 과거형 + 동사원형 ...'의 형태로 쓴다.

[해석] 그녀는 배가 고프지 않아서 그 케이크를 먹을 수 없다.

→ 만약 그녀가 배가 고프다면 그 케이크를 먹을 텐데.

2 과거 사실과 반대의 상황을 가정할 때는 가정법 과거완료인 'If + 주어 + had + 과거분사 ~, 주어 + 조동사의 과거형 + have + 과거분사 ...'의 형태로 쓴다.

[해석] 그 운전자는 교통 신호를 무시해서 사고가 났다.

→ 그 운전자가 교통 신호를 무시하지 않았다면 그는 사고가 나지 않았을 텐데.

C 1 분사구문은 부사절의 접속사와 주어를 없애고 동사를 현재분사로 바꾸어 쓴다. 분사구문의 부정은 분사 앞에 not을 쓴다.

[해석] 그녀는 피곤하지 않아서 밤새도록 TV를 봤다.

2 부사절의 시제가 주절보다 앞선 시제일 때는 완료 분사구문(having + 과거분사)으로 써야 한다.

[해석] 그는 지갑을 잃어버렸기 때문에 콘서트 표를 살 수 없었다.

D 1 '~보다 몇 배 더 …한'은 '배수 표현 + as + 원급 + as ~'로 표현한다.

2 '점점 더 ~한'은 '비교급 + and + 비교급'으로 표현한다.

A 1 'either A or B'는 'A 또는 B 둘 중 하나'라는 뜻으로, 주어로 쓰일 때 동사는 B에 맞춘다.

[해석] Jason 또는 내가 너를 태우러 갈 것이다.

2 '~인지 아닌지'의 의미로 명사절을 이끄는 접속사 whether가 알맞다.

[해석] 나는 그가 파티에 올 수 있는지 아닌지 모른다.

3 내용상 '그렇지 않으면'이라는 뜻의 접속부사 Otherwise가 알맞다.

[해석] 너는 지금 집에서 나가야 한다. 그렇지 않으면 너는 버스를 놓칠 것이다.

B 현재 사실과 반대로 가정할 때는 가정법 과거로 써야 하므로 Emily의 말 중 If I am ~, I will ...을 If I were ~, I would ...로 고쳐야 한다.

[해석] Andy: 만약 네가 백만장자라면 무엇을 할 거니?

Emily: 내가 백만장자라면 나는 세계 여행을 할 거야.

C Down

1 so ~ that ... can't + 동사원형: 매우[너무] ~해서 …할 수 없다

2 수동의 의미로 앞의 명사를 수식하는 과거분사 형태가 들어가야 한다.

3 wherever: ~하는 곳은 어디나

Across

2 앞에 콤마(,)가 있고, 앞 문장 전체를 선행사로 하므로 계속적 용법의 관계대명사 which가 알맞다.

4 '~이 없(었)다면'의 의미로 가정할 때 Without ~로 표현한다.

5 as + 원급 + as possible: 가능한 한 ~한[하게]

6 '~하지 않으면'은 접속사 unless로 표현한다.

7 frankly speaking: 솔직히 말해서 (독립분사구문)

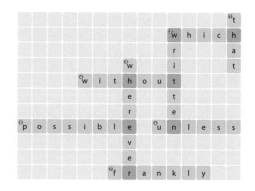

52~53쪽

6일 창의·융합·서술·코딩 **테스트 2회**

A 1 am **2** whether **3** Otherwise

B If I were a millionaire, I would travel around the world.

C Down **1** that **2** written **3** wherever

　Across **2** which **4** Without **5** possible **6** unless

　　7 Frankly

1 ③ **2** ④ **3** ⑤ **4** ② **5** ④ **6** that **7** ③
8 as well as **9** ⓐ studying ⓑ introduced **10** ①
11 Without, have finished **12** ⑤ **13** ④
14 five times higher than **15** ②

1 과거의 이루지 못한 일에 대한 아쉬움을 나타낼 때 'I wish + 주어 + had + 과거분사'로 표현한다.
[해석] 나는 그의 충고를 듣지 않았던 것이 유감이다.
③ 나는 그의 충고를 들었더라면 좋을 텐데.

2 '~하면 할수록 더 …하다'는 'the + 비교급 ~, the + 비교급 …'으로 표현한다.

[3-4] [해석] 여러분의 선택이 다른 사람들의 선택에 영향을 미칠지를 결정하는 중요한 한 요인이 있는데, 바로 그 선택의 가시적 결과들이다. Adéie 펭귄들의 사례를 들어보자. 그들이 먹이를 찾아 물가를 향해 큰 무리를 지어 거니는 것이 종종 발견된다. 하지만 얼음같이 차가운 물에는 위험이 기다리고 있다. 한 예로, 식사로 펭귄들을 먹는 것을 좋아하는 표범물개가 있다. Adéie 펭귄은 무엇을 할까? 그 펭귄의 해결책은 대기 전술을 펼치는 것이다.

3 ⓐ '~인지 아닌지'의 의미로 명사절을 이끄는 접속사 whether가 알맞다.
ⓒ 선행사 the leopard seal을 수식하는 절을 이끄는 주격 관계대명사 which가 알맞다. for one은 선행사가 아니라 삽입된 부사구이다.

4 your choice와 대응하는 말로 that은 choice를 의미한다.

5 ④의 if는 '~인지 아닌지'의 의미로 명사절을 이끄는 접속사로 쓰였고, 나머지는 모두 '만약 ~한다면'의 의미로 부사절을 이끄는 접속사로 쓰였다.
[해석] ① 내가 너라면 나는 그녀를 도울 텐데.
② 가격이 더 싸다면 나는 저 코트를 살 텐데.
③ 네가 내 입장이라면 너는 무엇을 하겠니?
④ 네가 모임에 올 수 있는지 나에게 알려줘.
⑤ 네가 일찍 일어났다면 너는 버스를 탔을 텐데.

[6-8] [해석] 중앙아프리카 반투족들 사이에서는 한 부족의 사람이 다른 부족 사람을 만났을 때, 그들은 "당신은 어떤 춤을 추나요?"라고 묻는다고 한다. 오랫동안 공동체들은 종교적인 축제들과 계절의 중요한 시점들뿐만 아니라, 출생, 결혼, 죽음을 포함한 개인들의 삶에서 중요한 사건들을 기념하는 춤 의식들을 통해 자신들의 정체성을 구축해 왔다.

6 ⓐ는 목적어절을 이끄는 접속사 that, ⓑ는 주격 관계대명사 that이 들어갈 수 있다.

7 '포함하는'이라는 능동의 의미로 앞의 명사(events)를 수식하는 현재분사 형태가 되어야 한다.

8 '~뿐만 아니라 …도'는 '... as well as ~' 또는 'not only ~ but (also) ...'로 쓸 수 있다.

[9-10] [해석] 행동 생태학자들이 우리와 가까운 다수의 동류 동물에게서 영리한 모방 행동을 관찰해 왔다. 한 예가 주머니고양이라고 불리는 작은 호주 동물의 행동을 연구하는 행동 생태학자들에 의해 발견되었다. 그것의 생존이 1930년대에 호주로 들여와진 외래종인 수수두꺼비에 의해 위협받고 있었다. 주머니고양이에게 이 두꺼비들은 독성이 있는 만큼이나 먹음직스러워 보이며 그들을 먹은 주머니고양이는 빠른 속도로 치명적인 결과를 겪었다.

9 ⓐ '연구하는'(능동)의 의미로 앞의 명사를 수식하므로 현재분사 형태가 알맞다.
ⓑ '소개되어진'(수동)의 의미로 앞의 명사를 수식하므로 과거분사 형태가 알맞다.

10 '~만큼 …한'이라는 뜻의 'as + 형용사의 원급 + as' 표현으로 형용사의 원급인 tasty가 알맞다.

11 '~이 없었다면 …했을 것이다'는 'Without + 명사(구), 주어 + 조동사의 과거형 + have + 과거분사'의 가정법 과거완료 형태로 쓴다.

12 ⑤ 부사절의 시제가 주절보다 앞선 시제이므로 완료 분사구문인 Having changed my coat, ~로 써야 한다.
[해석] ① 솔직히 말해서 그 소설은 지루했다.
② 문을 열자마자 나는 문 앞에서 소포를 발견했다.
③ 자기 전에 그녀는 모든 창문을 닫았다.
④ 길을 걷다가 그는 옛 친구를 만났다.
⑤ 코트를 갈아입었기 때문에 나는 지금 지갑이 없다

[13-15] [해석] 위 표는 2015년과 2017년의 건강과 웰빙을 위한 여행인 건강 관광의 여행 수와 경비를 보여준다. 총 여행 수와 총 경비 둘 다

2015년의 그것들에 비해서 2017년에 더 높았다. 나열된 여섯 개 지역 중에서, 유럽이 2015년과 2017년 두 해 모두 건강 관광을 위해 가장 많이 방문된 장소였으며, 아시아 – 태평양이 그 뒤를 따랐다. 2017년에 라틴 아메리카 – 카리브 해로의 여행 수가 중동 – 북아프리카로의 그것보다 5배 이상 더 높았다. 2015년에는 북아메리카가 2천억 달러 이상이 소비된 유일한 지역이었던 반면 2017년에는 유럽이 합류했다.

13 표를 보면 총 여행 수와 총 경비 둘 다 2015건보다 2017년이 더 높다.
① either *A* or *B*: A 또는 B 둘 중 하나
② not *A* but *B*: A가 아니라 B
③ neither *A* nor *B*: A도 B도 아닌
④ both *A* and *B*: A와 B 둘 다
⑤ whether ~ or not: ~인지 아닌지

14 '~보다 몇 배 더 …한'은 '배수 표현 + 비교급 + than'으로 표현한다.

15 선행사(the only region)가 장소이므로 관계부사 where가 알맞다.

7일 학교 시험 기본 테스트 2회   58~61쪽

1 ④　2 ⑤　3 wearing　4 ①　5 ②　6 ⑤
7 (1) creative (2) feeling　8 ③　9 ①,④　10 so
overcrowded and complicated that I can understand
why navigating it is challenging
11 ③　12 ③　13 ⑤　14 ②　15 ⑤

1 과거의 사실을 반대로 가정하므로 가정법 과거완료인 'If + 주어 + had + 과거분사 ~, 주어 + 조동사의 과거형 + have + 과거분사 …'로 써야 한다.

2 ⑤는 '이 도시에 이 건물보다 더 오래된 다른 건물이 있다.'라는 의미이고, 나머지는 모두 '이 도시에서 이 건물이 가장 오래됐다.'라는 의미이다.

3 '안경을 쓰고 있는'이라는 능동·진행의 의미로 The girl을 수식하므로 현재분사 형태로 써야 한다.

해석 안경을 쓰고 있는 소녀는 내 사촌이다.

4 ⓐ, ⓑ, ⓓ: 명사절을 이끄는 접속사 ⓒ, ⓔ: 주격 관계대명사
해석 많은 논쟁에서 첫 번째로 저지르는 것 중에 하나가 화내는 것이라는 점을 우리 모두 안다. 침착함을 유지하라고 말하는 것은 쉽지만, 어떻게 침착함을 유지하는가? 기억해야 할 점은 때로는 논쟁에서 상대방은 여러분을 화나게 하려고 한다는 것이다. 그들은 여러분을 화나게 하기 위해 의도적으로 고안된 말을 하고 있을지도 모른다. 그들은 만약 자신들이 여러분의 침착함을 잃게 한다면 여러분은 어리석게 들리는 말을 할 것이며, 그저 화를 내고 그러면 여러분이 그 논쟁에서 이기는 것은 불가능할 것이란 것을 안다. 그러니 속아 넘어가지 마라.

[5-6] 해석 사실상 가치 있는 것은 어떤 것이든 우리가 실패나 거절당할 위험을 무릅쓸 것을 요구한다. 이것은 우리 앞에 놓인 더 큰 보상을 성취하기 위해 우리 모두가 지불해야 하는 대가이다. 위험을 무릅쓴다는 것은 언젠가 성공할 것이라는 것을 의미하지만 위험을 전혀 무릅쓰지 않는 것은 결코 성공하지 못할 것임을 의미한다. 인생은 많은 위험과 도전으로 가득 차 있으며, 이 모든 것에서 벗어나기를 원하면 인생이라는 경주에서 뒤처지게 될 것이다. 결코 위험을 무릅쓰지 못하는 사람은 아무것도 배울 수 없다.

5 ⓑ '놓여 있는'이라는 능동·진행의 의미로 앞의 명사(rewards)를 수식하므로 lie(놓여 있다)의 현재분사형인 lying으로 고쳐야 한다.

6 성공하기 위해서는 위험을 무릅쓸 필요가 있다는 것이 글의 주된 내용이며 마지막 문장에서 글의 요지를 알 수 있다.

7 (1) as + 형용사의 원급 + as: ~만큼 …한
(2) 동시동작을 나타내는 분사구문이므로 현재분사형으로 써야 한다.

8 'I wish + 가정법 과거'는 현재 이루기 힘든 소망이나 현실에 대한 아쉬움을 나타낸다.
해석 나에게 더 많은 돈이 있다면 좋을 텐데.
① 사실, 나는 더 많은 돈이 있다.
② 나는 더 많은 돈이 있어서 유감이다.
③ 나는 더 많은 돈이 없어서 유감이다.
④ 나는 더 많은 돈이 있었던 것이 유감이다.
⑤ 나는 더 많은 돈이 없었던 것이 유감이다.

[9-10] 해석 2016 Pew Research Center 조사에 따르면, 23퍼센트의 사람들이 한 인기 있는 사회 관계망 사이트에서 우연으

로든 의도적으로든 가짜 뉴스의 내용을 공유한 적이 있다고 인정한다. 나는 이것을 의도적으로 무지한 사람들의 탓으로 돌리고 싶은 마음이 든다. 그러나 뉴스 생태계가 너무나 붐비고 복잡해져서 나는 그곳을 항해하는 것이 힘든 이유를 이해할 수 있다. 의심이 들 때, 우리는 내용을 스스로 교차 확인할 필요가 있다.

9 빈칸 앞뒤의 내용이 상반되므로 대조의 의미를 나타내는 접속부사가 들어가야 한다.
해석 ① 그렇지만, 그런데도 ② 그러므로 ③ 더욱이 ④ 그럼에도 불구하고 ⑤ 그러므로

10 '매우 ~해서 …할 수 있다'는 'so + 형용사 / 부사 + that + 주어 + can ~'의 형태로 쓴다. 간접의문문은 '의문사 + 주어 + 동사'의 어순으로 쓴다.

11 'A는 B만큼 …하지 않다'는 'A ~ not as[so] + 원급 + as + B'로 표현한다.

12 ⓒ 의문사가 있는 간접의문문은 의문사가 접속사 역할을 하며 '의문사 + 주어 + 동사'의 어순으로 쓴다. → what kind of mood they are in
해석 당신은 다른 누군가가 어떻게 느끼고 있는지를 당신이 어떻게 알 수 있을지에 대해 생각해 본 적이 있는가? 때때로, 친구들이 당신에게 그들이 행복하거나 슬프다고 말할지도 모르지만, 당신에게 말하지 않는다고 해도, 나는 당신이 그들이 어떤 기분을 느끼고 있는지에 대해 추측을 잘 할 수 있을 것이라고 확신한다. 당신은 그들이 사용하는 목소리의 어조로부터 단서를 얻을지도 모른다. 예를 들어, 그들이 화가 나 있다면 그들은 목소리를 높일 것이고, 그들이 두려워하고 있다면 떠는 식으로 말할 것이다.

13 ⑤ 관계부사 how와 선행사 the way는 함께 쓰일 수 없으므로 둘 중 하나를 생략해야 한다. the way how → the way 또는 how
해석 ① 2020년은 그들이 결혼한 해였다.
② 그는 내가 화가 난 이유를 몰랐다.
③ 이곳은 내가 생일 파티를 할 식당이다.
④ 너는 Amy가 학교에 결석한 이유를 추측할 수 있니?
⑤ 나는 그녀가 영어를 공부하는 방법을 알고 싶다.

[14-15] 해석 한 실험에서, 연구자들은 참가자들에게 두 장의 얼굴 사진을 제시하고 더 매력적이라고 생각하는 사진을 고르라고 요청한 후에, 그 사진을 참가자들에게 건네주었다. 무대 마술에 의해 영감을 얻은 교묘한 속임수를 사용해, 참가자들이 사진을 받았을 때, 그 사진은 참가자가 선택하지 않은, 즉 덜 매력적인 사진으로 교체되어 있었다. 놀랍게도, 대부분의 참가자들은 이 사진을 그들 자신의 선택으로 받아들였고, 그러고 나서 왜 처음에 그들이 그 얼굴을 선택했는지에 대한 논거를 제시했다.

14 ②의 that은 명사절을 이끄는 접속사이고, ⓐ와 나머지 that은 모두 관계대명사이다.
해석 ① 그녀는 내가 만든 샌드위치를 먹었다.
② 문제는 내가 돈이 없다는 것이다.
③ 너는 네가 원하는 어떤 것이든 선택할 수 있다.
④ 그는 잃어버렸던 휴대전화를 찾았다.
⑤ 이것은 지금까지 내가 본 중 가장 귀여운 강아지이다.

15 ⓑ '~하면서'(능동)의 의미를 나타내는 분사구문이므로 현재분사형이 알맞다.
ⓒ inspire는 '영감을 주다'라는 뜻이고 '영감을 받은'이라는 수동의 의미로 앞의 명사(trick)를 수식하므로 과거분사형이 알맞다.

Memo

7일 끝!

어휘
모아 보기

 어휘 모아 보기 활용 안내

◈ 7일간 학습한 **일별 어휘** 한꺼번에 확인하기!

◈ 어휘 테스트를 통해 **한 번 더** 체크하기!

1일

- [ ] **blue** 우울한
- [ ] **board** 탑승[승선/승차]하다
- [ ] **break** 부서지다
- [ ] **distance** 거리
- [ ] **effort** 수고, 노력
- [ ] **freeze** 얼다, 얼리다
- [ ] **grade** 성적, 학점
- [ ] **hospitalize** 입원시키다
- [ ] **injured** 다친, 부상을 입은
- [ ] **nearly** 거의
- [ ] **period** 기간
- [ ] **pollution** 오염, 오염 물질
- [ ] **raise** 기르다, 키우다
- [ ] **recipe** 요리법, 조리법
- [ ] **seriously** 심각하게
- [ ] **sneakers** 운동화
- [ ] **solar eclipse** 일식
- [ ] **spread** 펼치다
- [ ] **statue** 조각상
- [ ] **though** ~이긴 하지만

- [ ] **wallet** 지갑
- [ ] **windscreen** (자동차의) 앞 유리
- [ ] **have trouble -ing** ~하는 데 어려움이 있다
- [ ] **out of fashion** 유행에서 뒤떨어진
- [ ] **take off** 이륙하다
- [ ] **wait in line** 줄을 서서 기다리다

2일

- [ ] **additional** 추가의
- [ ] **article** 글, 기사
- [ ] **conduct** (활동을) 하다; 행동
- [ ] **consult** 상담하다
- [ ] **consumer** 소비자
- [ ] **contain** ~이 들어 있다
- [ ] **expert** 전문가
- [ ] **generally** 일반적으로
- [ ] **identify** 확인하다, 알아보다
- [ ] **motivate** 동기를 부여하다

- [ ] **negotiation** 협상, 협의
- [ ] **omission** 생략, 빠짐
- [ ] **potential** 가능성이 있는
- [ ] **receive** 받다, 받아들이다
- [ ] **reduce** 줄이다, 낮추다
- [ ] **reply** 대답, 답장
- [ ] **stomachache** 복통, 위통
- [ ] **strategy** 계획, 전략
- [ ] **subject** 주제, 문제
- [ ] **uncomfortable** 불편한
- [ ] **unrelated** 관련 없는
- [ ] **valuable** 소중한, 귀중한
- [ ] **variety** 여러 가지, 다양성
- [ ] **wisdom** 지혜, 현명함
- [ ] **worthwhile** 가치 있는
- [ ] **deal with** ~을 다루다

3일

- accident 사고
- attack 폭행, 공격
- attain 이루다, 획득하다
- audience 관중, 시청자
- chase 뒤쫓다, 추적하다
- deaf 귀가 먹은, 청각 장애가 있는
- emotion 감정, 정서
- fail 실패하다
- fence 울타리, 장애물
- fierce 사나운, 험악한
- frequently 자주, 흔히
- heaven 천국, 하늘나라
- hunter 사냥꾼
- inconvenience 불편, 애로
- knock 두드리다, 노크하다
- lamb 어린 양
- own 소유하다
- pose (문제 등을) 제기하다
- positive 긍정적인
- repeat 반복하다

- request 요청하다, 신청하다
- settle 해결하다, 합의를 보다
- severely 심하게, 엄하게
- be likely to ~할 것 같다
- get fired 해고되다
- get married 결혼하다

4일

- adequate 적절한, 충분한
- alternately 번갈아, 교대로
- cage 우리, 새장
- category 범주
- contribution 기부금, 성금
- display 진열하다, 전시하다
- expectation 예상, 기대
- experience 경험
- flow 흐르다, 흘러가다
- fluent 유창한
- fund 기금, 자금
- glaciers 빙하

- honesty 정직, 솔직함
- increase 증가하다
- invention 발명품, 발명
- launch 발사하다, 시작하다
- length 길이
- local 지역의, 현지의
- male 남자 (↔ female 여자)
- master ~을 완전히 익히다
- respondent 응답자
- rocky 바위로 된, 바위투성이의
- satisfaction 만족(감), 흡족
- throw 던지기
- tiny 아주 작은
- reach out (손 등을) 뻗다

5일

- communicate 연락을 주고 받다
- competitor 경쟁자
- complain 불평하다, 항의하다

☐ **contrast** 대조하다

☐ **delay** 미루다, 연기하다

☐ **disappointed** 실망한, 낙담한

☐ **drought** 가뭄

☐ **empty** 비어 있는

☐ **exist** 존재하다

☐ **gathering** 모임

☐ **horrible** 끔찍한, 무시무시한

☐ **imagine** 상상하다

☐ **immediate** 즉각적인

☐ **introduce** 소개하다

☐ **overhear** 우연히 듣다

☐ **oxygen** 산소

☐ **scenario** 시나리오

☐ **slippery** 미끄러운

☐ **survival** 생존

☐ **sweat** 땀을 흘리다

☐ **thunder** 천둥, 우레

☐ **toward** ~을 향하여

☐ **truth** 사실, 진리

☐ **vacuum** 진공, 공백

☐ **whisper** 속삭이다

☐ **pay attention to** ~에 주목
[유의]하다

6일

☐ **athlete** 선수, 운동선수

☐ **attend** 참석하다

☐ **capability** 능력, 역량

☐ **chemical** 화학 물질

☐ **colleague** 동료

☐ **competition** 경쟁

☐ **demonstrate** (행동으로) 보여
주다

☐ **enhance** 높이다, 향상시키다

☐ **essential** 필수적인

☐ **explosive** 폭발성의

☐ **ignore** 무시하다

☐ **induce** 설득하다

☐ **ingredient** 재료, 구성 요소

☐ **inquisitive** 탐구심이 많은

☐ **opportunity** 기회

☐ **organization** 조직, 단체

☐ **persuade** 설득하다

☐ **prepare** 준비하다

☐ **prospective** 장래의, 유망한

☐ **proven** 입증된, 증명된

☐ **proverb** 속담

☐ **receptiveness** 수용성

☐ **regrettably** 유감스럽게

☐ **suggest** 제안하다

☐ **tendency** 성향, 경향

☐ **trigger** 촉발시키다, 작동시키다

7일

☐ **accidentally** 우연히

☐ **achieve** 성취하다

☐ **attractive** 매력적인

☐ **attribute** ~탓이라고 보다

☐ **behavior** 행동

☐ **consequence** 결과

- [ ] **critical** 대단히 중요한, 비판적인
- [ ] **diversity** 다양성
- [ ] **ignorant** 무지한
- [ ] **include** 포함하다
- [ ] **intentionally** 의도적으로
- [ ] **invasive** 급속히 퍼지는
- [ ] **observe** 관찰하다
- [ ] **participant** 참가자
- [ ] **poisonous** 독성이 있는
- [ ] **practically** 사실상
- [ ] **proceed** (계속) 진행하다
- [ ] **purpose** 목적
- [ ] **region** 지방, 지역
- [ ] **reject** 거절하다
- [ ] **relative** 동족, 친척
- [ ] **require** 요구하다, 필요하다
- [ ] **stroll** 거닐다, 산책하다
- [ ] **tempting** 솔깃한
- [ ] **threaten** 위협하다
- [ ] **visible** (눈에) 보이는

1일 영어는 우리말로, 우리말은 영어로 쓰세요.

01 raise _____

02 pollution _____

03 effort _____

04 freeze _____

05 wallet _____

06 spread _____

07 hospitalize _____

08 blue _____

09 period _____

10 distance _____

11 seriously _____

12 recipe _____

13 break _____

14 sneakers _____

15 grade _____

16 statue _____

17 though _____

18 injured _____

19 wait in line _____

20 have trouble -ing _____

21 거리 _____

22 다친, 부상을 입은 _____

23 기르다, 키우다 _____

24 얼다, 얼리다 _____

25 성적, 학점 _____

26 입원시키다 _____

27 탑승[승선/승차]하다 _____

28 거의 _____

29 조각상 _____

30 오염, 오염 물질 _____

31 부서지다 _____

32 우울한 _____

33 펼치다 _____

34 기간 _____

35 지갑 _____

36 수고, 노력 _____

37 (자동차의) 앞 유리 _____

38 일식 _____

39 유행에서 뒤떨어진 _____

40 이륙하다 _____

2일 영어는 우리말로, 우리말은 영어로 쓰세요.

01	valuable		21	동기를 부여하다	
02	article		22	추가의	
03	uncomfortable		23	주제, 문제	
04	consumer		24	상담하다	
05	wisdom		25	가치 있는	
06	expert		26	전문가	
07	reduce		27	관련 없는	
08	identify		28	협상, 협의	
09	strategy		29	받다, 받아들이다	
10	negotiation		30	대답, 답장	
11	omission		31	복통, 위통	
12	potential		32	여러 가지, 다양성	
13	generally		33	글, 기사	
14	motivate		34	불편한	
15	conduct		35	소중한, 귀중한	
16	unrelated		36	계획, 전략	
17	additional		37	지혜, 현명함	
18	variety		38	소비자	
19	contain		39	줄이다, 낮추다	
20	worthwhile		40	~을 다루다	

3일 영어는 우리말로, 우리말은 영어로 쓰세요.

01 fail	_____	21 사고	_____
02 attack	_____	22 사냥꾼	_____
03 pose	_____	23 이루다, 획득하다	_____
04 audience	_____	24 요청하다, 신청하다	_____
05 positive	_____	25 뒤쫓다, 추적하다	_____
06 emotion	_____	26 귀가 먹은, 청각 장애가 있는	_____
07 severely	_____	27 해결하다, 합의를 보다	_____
08 inconvenience	_____	28 사나운, 험악한	_____
09 frequently	_____	29 반복하다	_____
10 own	_____	30 천국, 하늘나라	_____
11 lamb	_____	31 폭행, 공격	_____
12 fierce	_____	32 불편, 애로	_____
13 attain	_____	33 두드리다, 노크하다	_____
14 chase	_____	34 긍정적인	_____
15 repeat	_____	35 자주, 흔히	_____
16 accident	_____	36 관중, 시청자	_____
17 settle	_____	37 실패하다	_____
18 fence	_____	38 감정, 정서	_____
19 be likely to	_____	39 심하게, 엄하게	_____
20 get married	_____	40 해고되다	_____

4일 영어는 우리말로, 우리말은 영어로 쓰세요.

01	honesty	21	증가하다
02	alternately	22	발명품, 발명
03	satisfaction	23	발사하다, 시작하다
04	cage	24	던지기
05	respondent	25	기부금, 성금
06	expectation	26	진열하다, 전시하다
07	local	27	유창한
08	fund	28	경험
09	glaciers	29	흐르다, 흘러가다
10	adequate	30	아주 작은
11	male	31	정직, 솔직함
12	invention	32	바위로 된, 바위투성이의
13	launch	33	길이
14	experience	34	지역의, 현지의
15	increase	35	응답자
16	master	36	번갈아, 교대로
17	contribution	37	만족(감), 흡족
18	category	38	예상, 기대
19	fluent	39	우리, 새장
20	reach out	40	기금, 자금

5일 영어는 우리말로, 우리말은 영어로 쓰세요.

01	introduce	_____
02	communicate	_____
03	vacuum	_____
04	complain	_____
05	contrast	_____
06	gathering	_____
07	disappointed	_____
08	slippery	_____
09	empty	_____
10	whisper	_____
11	delay	_____
12	immediate	_____
13	toward	_____
14	oxygen	_____
15	survival	_____
16	drought	_____
17	sweat	_____
18	thunder	_____
19	competitor	_____
20	exist	_____

21	즉각적인	_____
22	상상하다	_____
23	땀을 흘리다	_____
24	천둥, 우레	_____
25	생존	_____
26	미루다, 연기하다	_____
27	산소	_____
28	가뭄	_____
29	존재하다	_____
30	끔찍한, 무시무시한	_____
31	소개하다	_____
32	실망한, 낙담한	_____
33	우연히 듣다	_____
34	대조하다	_____
35	시나리오	_____
36	연락을 주고받다	_____
37	불평하다, 항의하다	_____
38	사실, 진리	_____
39	속삭이다	_____
40	~에 주목[유의]하다	_____

6일 영어는 우리말로, 우리말은 영어로 쓰세요.

01	prepare	_____	21 설득하다	_____
02	attend	_____	22 기회	_____
03	capability	_____	23 선수, 운동선수	_____
04	tendency	_____	24 장래의, 유망한	_____
05	inquisitive	_____	25 제안하다	_____
06	competition	_____	26 화학 물질	_____
07	enhance	_____	27 동료	_____
08	receptiveness	_____	28 (행동으로) 보여주다	_____
09	explosive	_____	29 필수적인	_____
10	ignore	_____	30 촉발시키다, 작동시키다	_____
11	suggest	_____	31 재료, 구성 요소	_____
12	ingredient	_____	32 조직, 단체	_____
13	opportunity	_____	33 준비하다	_____
14	regrettably	_____	34 속담	_____
15	persuade	_____	35 입증된, 증명된	_____
16	athlete	_____	36 참석하다	_____
17	essential	_____	37 능력, 역량	_____
18	organization	_____	38 성향, 경향	_____
19	induce	_____	39 무시하다	_____
20	colleague	_____	40 높이다, 향상시키다	_____

7일 영어는 우리말로, 우리말은 영어로 쓰세요.

01 region	_____	21 목적	_____
02 attractive	_____	22 우연히	_____
03 threaten	_____	23 (계속) 진행하다	_____
04 practically	_____	24 동족, 친척	_____
05 diversity	_____	25 ~탓이라고 보다	_____
06 ignorant	_____	26 행동	_____
07 visible	_____	27 결과	_____
08 intentionally	_____	28 대단히 중요한, 비판적인	_____
09 require	_____	29 성취하다	_____
10 observe	_____	30 거절하다	_____
11 participant	_____	31 급속히 퍼지는	_____
12 consequence	_____	32 관찰하다	_____
13 purpose	_____	33 사실상	_____
14 achieve	_____	34 무지한	_____
15 invasive	_____	35 위협하다	_____
16 stroll	_____	36 매력적인	_____
17 tempting	_____	37 요구하다, 필요하다	_____
18 behavior	_____	38 포함하다	_____
19 include	_____	39 (눈에) 보이는	_____
20 poisonous	_____	40 다양성	_____

1일

01 기르다, 키우다　02 오염, 오염 물질　03 수고, 노력　04 얼다, 얼리다　05 지갑　06 펼치다　07 입원시키다　08 우울한　09 기간　10 거리　11 심각하게　12 요리법, 조리법　13 부서지다　14 운동화　15 성적, 학점　16 조각상　17 ~이긴 하지만　18 다친, 부상을 입은　19 줄을 서서 기다리다　20 ~하는 데 어려움이 있다　21 distance　22 injured　23 raise　24 freeze　25 grade　26 hospitalize　27 board　28 nearly　29 statue　30 pollution　31 break　32 blue　33 spread　34 period　35 wallet　36 effort　37 windscreen　38 solar eclipse　39 out of fashion　40 take off

2일

01 소중한, 귀중한　02 글, 기사　03 불편한　04 소비자　05 지혜, 현명함　06 전문가　07 줄이다, 낮추다　08 확인하다, 알아보다　09 계획, 전략　10 협상, 협의　11 생략, 빠짐　12 가능성이 있는　13 일반적으로　14 동기를 부여하다　15 (활동을) 하다; 행동　16 관련 없는　17 추가의　18 여러 가지, 다양성　19 ~이 들어 있다　20 가치 있는　21 motivate　22 additional　23 subject　24 consult　25 worthwhile　26 expert　27 unrelated　28 negotiation　29 receive　30 reply　31 stomachache　32 variety　33 article　34 uncomfortable　35 valuable　36 strategy　37 wisdom　38 consumer　39 reduce　40 deal with

3일

01 실패하다　02 폭행, 공격　03 (문제 등을) 제기하다　04 관중, 시청자　05 긍정적인　06 감정, 정서　07 심하게, 엄하게　08 불편, 애로　09 자주, 흔히　10 소유하다　11 어린 양　12 사나운, 험악한　13 이루다, 획득하다　14 뒤쫓다, 추적하다　15 반복하다　16 사고　17 해결하다, 합의를 보다　18 울타리, 장애물　19 ~할 것 같다　20 결혼하다　21 accident　22 hunter　23 attain　24 request　25 chase　26 deaf　27 settle　28 fierce　29 repeat　30 heaven　31 attack　32 inconvenience　33 knock　34 positive　35 frequently　36 audience　37 fail　38 emotion　39 severely　40 get fired

4일

01 정직, 솔직함　02 번갈아, 교대로　03 만족(감), 흡족　04 우리, 새장　05 응답자　06 예상, 기대　07 지역의, 현지의　08 기금, 자금　09 빙하　10 적절한, 충분한　11 남자　12 발명품, 발명　13 발사하다, 시작하다　14 경험　15 증가하다　16 ~을 완전히 익히다　17 기부금, 성금　18 범주　19 유창한　20 (손 등을) 뻗다　21 increase　22 invention　23 launch　24 throw　25 contribution　26 display　27 fluent　28 experience　29 flow　30 tiny　31 honesty　32 rocky　33 length　34 local　35 respondent　36 alternately　37 satisfaction　38 expectation　39 cage　40 fund

5일

01 소개하다　02 연락을 주고받다　03 진공, 공백
04 불편하다, 항의하다　05 대조하다　06 모임
07 실망한, 낙담한　08 미끄러운　09 비어 있는
10 속삭이다　11 미루다, 연기하다　12 즉각적인
13 ~을 향하여　14 산소　15 생존　16 가뭄
17 땀을 흘리다　18 천둥, 우레　19 경쟁자　20 존재
하다　21 immediate　22 imagine　23 sweat
24 thunder　25 survival　26 delay　27 oxygen
28 drought　29 exist　30 horrible
31 introduce　32 disappointed　33 overhear
34 contrast　35 scenario　36 communicate
37 complain　38 truth　39 whisper
40 pay attention to

6일

01 준비하다　02 참석하다　03 능력, 역량　04 성향,
경향　05 탐구심이 많은　06 경쟁　07 높이다, 향상시키
다　08 수용성　09 폭발성의　10 무시하다　11 제안
하다　12 재료, 구성 요소　13 기회　14 유감스럽게
15 설득하다　16 선수, 운동선수　17 필수적인
18 조직, 단체　19 설득하다　20 동료　21 persuade
22 opportunity　23 athlete　24 prospective
25 suggest　26 chemical　27 colleague
28 demonstrate　29 essential　30 trigger
31 ingredient　32 organization　33 prepare
34 proverb　35 proven　36 attend
37 capability　38 tendency　39 ignore
40 enhance

7일

01 지방, 지역　02 매력적인　03 위협하다　04 사실상
05 다양성　06 무지한　07 (눈에) 보이는　08 의도적
으로　09 요구하다, 필요하다　10 관찰하다　11 참가자
12 결과　13 목적　14 성취하다　15 급속히 퍼지는
16 거닐다, 산책하다　17 솔깃한　18 행동　19 포함
하다　20 독성이 있는　21 purpose
22 accidentally　23 proceed　24 relative
25 attribute　26 behavior　27 consequence
28 critical　29 achieve　30 reject　31 invasive
32 observe　33 practically　34 ignorant
35 threaten　36 attractive　37 require
38 include　39 visible　40 diversity

핵심정리 01 분사와 분사구문

	현재분사	과거분사
형태	동사원형 -ing	동사원형 -ed 불규칙 과거분사형
의미	능동·진행의 의미	수동·❶ [　　　　]의 의미
쓰임	명사 수식, 보어 역할	

분사구문 만들기	1. ❷ [　　　　] 생략 2. 부사절의 주어 생략(주절의 주어와 같을 때) 3. 동사를 현재분사로 바꾸기

• 분사구문의 부정은 분사 앞에 not[never]을 쓴다.

> 분사구문은 부사절의 접속사에 따라 다양한 의미(이유, 시간, 동시동작, 연속동작, 조건, 양보 등)를 나타내요.

답 ❶ 완료 ❷ 접속사

핵심정리 02 분사구문의 시제와 태 / 주의해야 할 분사구문

	단순 분사구문	완료 분사구문
능동태	현재분사 ~	❶ [　　　　] + 과거분사
수동태	being + 과거분사	having been + 과거분사

> 수동태의 분사구문에서는 보통 Being 또는 Having been을 생략하고 ❷ [　　　　] 로 시작해요.

독립 분사구문	부사절과 주절의 주어가 다를 때 부사절의 주어를 생략하지 않고 분사 앞에 쓴 것
비인칭 독립분사 구문	generally[frankly / strictly / roughly] speaking: 일반적으로[솔직히 / 엄밀히 / 대충] 말하면 judging from: ~로 판단하면 considering: ~을 고려하면

• with + 명사(구) + 현재분사: ~가 …하고 있는 채로
• with + 명사(구) + 과거분사: ~가 …하여진 채로

답 ❶ having ❷ 과거분사

핵심정리 03 상관접속사 / 명사절을 이끄는 접속사(간접의문문)

❶ [　　　] A and B	A와 B 둘 다
not A but B	A가 아니라 B
not only A but also B (= B as well as A)	A뿐만 아니라 B도
❷ [　　　] A or B	A 또는 B 둘 중 하나
neither A nor B	A도 B도 아닌

> 동사의 수는 B에 맞추고, both A and B는 복수로 취급해요.

	that + 주어 + 동사	주어, 보어, 목적어 역할
간접 의문문	if[whether] + 주어 + 동사	의문사가 없는 경우
	의문사 + 주어 + 동사	의문사가 접속사 역할

• 접속사 that이 이끄는 절이 목적어 역할을 할 때 that은 생략할 수 있다.

답 ❶ both ❷ either

핵심정리 04 부사절을 이끄는 접속사

시간	when	~할 때	이유	because	❶ [　　　]
	while	~하는 동안		as	
	until	~할 때까지		since	
	as	~하면서	결과	so	그래서
	since	~ 이후로		so ~ that	매우 ~해서 …하다
	as soon as	~하자마자		so ~ that … can/can't	매우[너무] ~해서 …할 수 있다/없다
양보	though	비록 ~이지만, ~에도 불구하고	조건	if	만약 ~라면
	although			unless	만약 ~ 아니라면
	even though		목적	so that in order that	❷ [　　　]

• 시간이나 조건의 부사절에서는 현재 시제로 미래의 의미를 나타낸다.

답 ❶ ~ 때문에 ❷ ~하기 위해

1 **❶**   **lost my key**, I can't open the door.

(열쇠를 잃어버렸기 때문에 나는 문을 열 수가 없다.)

2 **(Being) Surprised** by the news, he tried to be calm.

(그 소식에 놀랐지만 그는 침착하려고 노력했다.)

3 **The weather** **❷**   **fine**, we will go on a picnic tomorrow.

(날씨가 좋으면 우리는 내일 소풍을 갈 것이다.)

4 **Strictly speaking**, it's your fault.

(엄밀히 말해서 그것은 너의 잘못이다.)

답 **❶** Having **❷** being

---

1 There is a **❶**   cat under the table.

(탁자 밑에 잠자고 있는 고양이가 있다.)

2 She is reading a book **written** by Shakespeare.

(그녀는 셰익스피어가 쓴 책을 읽고 있다.)

3 Many people are sitting **watching** the show.

(많은 사람들이 공연을 보며 앉아 있다.)

4 **❷**   to the grocery store, you will find it.

(식료품점에 가면 너는 그것을 찾을 것이다.)

5 **Not feeling** tired, he played basketball all day.

(피곤하지 않았기 때문에 그는 하루 종일 농구를 했다.)

답 **❶** sleeping **❷** Going

---

1 He turned on the TV **as soon as** he got home.

(그는 집에 오자마자 TV를 켰다.)

2 **❶**   you believe, you will not understand.

(믿지 않으면 이해하지 못할 것이다.)

3 The car is **so** expensive **that I can't** buy it.

(그 차는 너무 비싸서 나는 그것을 살 수 없다.)

4 **❷**   I was in India, I went to see the Taj Mahal.

(나는 인도에 있을 때 타지마할을 보러 갔다.)

답 **❶** Unless **❷** When

---

1 I **as well as** Amy **❶**   like eating vegetables.

(Amy뿐만 아니라 나도 채소 먹는 것을 좋아하지 않는다.)

2 **Both** Jason **and** Jimmy are going to the library.

(Jason과 Jimmy 둘 다 도서관에 갈 것이다.)

3 Is it true **❷**   Sam lied to me?

(Sam이 나에게 거짓말했다는 것이 사실이니?)

4 She wonders **if** the bookstore is open.

(그녀는 그 서점이 문을 열었는지 궁금하다.)

답 **❶** don't **❷** that

핵심정리 05 접속부사

결과	therefore	그러므로	첨가	also		또한
	as a result	결과적으로		besides		게다가
	consequently			in addition		
	thus	따라서		furthermore		더욱이
	accordingly	그래서		moreover		
양보·대조	however	하지만		then		그리고 나서
	nevertheless	그럼에도 불구하고	기타	❶		그렇지 않으면
	on the other hand	반면에				

• 접속부사는 두 개의 개별적인 ❷[ ]을 의미상 자연스럽게 연결하는 부사이다.

핵심정리 06 관계대명사의 종류와 역할

선행사　　격	주격	소유격	목적격
사람	who	whose	who(m)
사물, 동물	which	whose / of which	❶
사람, 사물, 동물	that	–	that
선행사 포함	what	–	what

• 관계대명사 ❷[ ]은 선행사가 없고, the thing(s) which[that]로 바꿔 쓸 수 있다.

주격 관계대명사	+ 동사
소유격 관계대명사	+ 명사
목적격 관계대명사	+ 주어 + 동사

선행사가 전치사의 목적어일 때 '전치사 + 관계대명사'의 형태로 쓰거나, 전치사를 관계사절 맨 끝에 써요.

핵심정리 07 관계대명사의 용법 / 관계부사

제한적 용법	계속적 용법
선행사를 직접 수식	선행사에 대해 보충 설명
관계사 앞에 콤마(,) 없음	관계사 앞에 콤마(,) 있음
She has two sons **who** are lawyers.	She has two sons, ❶[ ] are lawyers.
〈아들이 둘 이상일 수 있음〉	〈아들이 둘뿐임〉

'주격 관계대명사 + be동사'와 목적격 관계대명사는 생략할 수 있지만, 계속적 용법으로 쓰인 관계대명사는 생략할 수 없어요.

	선행사	관계부사		선행사	관계부사
시간	the time, the day 등	when	장소	the place, the house 등	where
이유	the reason	why	방법	(the way)	how

• 관계부사 ❷[ ]와 선행사 the way는 함께 쓸 수 없으며, 둘 중 하나는 생략해야 한다.

핵심정리 08 복합관계사

복합관계대명사	명사절	양보의 부사절
who(m)ever	anyone who (~하는 사람은 누구든지)	no matter who(m) (누가[누구를] ~하더라도)
whichever	anything which (~하는 것은 어느 것이든지)	no matter which (어느 것이[어느 것을] ~하더라도)
whatever	anything ❶[ ] (~하는 무엇이든지)	no matter what (무엇이[무엇을] ~하더라도)

복합관계부사	시간, 장소의 부사절	양보의 부사절
whenever	at any time when (~할 때마다)	no matter when (언제 ~하더라도)
wherever	at any place where (~하는 곳은 어디나)	no matter where (어디에[로] ~하더라도)
however	–	no matter ❷[ ] (아무리 ~하더라도)

06 핵심 정리 예문

1 She has a brother **who** plays basketball well.
(그녀는 농구를 잘 하는 남동생이 있다.)

2 I have a friend ❶[　　] hobby is surfing.
(나는 취미가 파도타기인 친구가 있다.)

3 He is eating spaghetti **which** his mom made.
(그는 엄마가 만들어주신 스파게티를 먹고 있다.)

4 I couldn't understand ❷[　　] he said.
(나는 그가 말한 것을 이해할 수 없었다.)

답 ❶ whose ❷ what

05 핵심 정리 예문

1 She made a big mistake. **As a** ❶[　　], she lost her job.
(그녀는 큰 실수를 했다. 그 결과, 그녀는 직업을 잃었다.)

2 He has to clean the room. **In** ❷[　　], he has to wash the dishes.
(그는 방을 청소해야 한다. 게다가 그는 설거지도 해야 한다.)

3 I don't like spinach. **On the other hand**, my brother likes it very much.
(나는 시금치를 좋아하지 않는다. 반면에 내 남동생은 시금치를 아주 많이 좋아한다.)

답 ❶ result ❷ addition

08 핵심 정리 예문

1 **Whoever** knocks on the door, never open it.
(누가 문을 두드리더라도 절대 열어주지 마라.)

2 You can get ❶[　　] you want.
(너는 원하는 것은 무엇이든지 얻을 수 있다.)

3 **Wherever** he goes, I follow him.
(그가 어디에 가더라도 나는 그를 따라간다.)

4 ❷[　　] he washes his car, it rains.
(그가 세차할 때마다 비가 온다.)

답 ❶ whatever ❷ Whenever

07 핵심 정리 예문

1 Ann has a sister, ❶[　　] is a famous actor.
(Ann은 언니가 한 명 있는데, 언니는 유명한 배우이다.)

2 Look at the boy (**who is**) dancing over there.
(저쪽에서 춤추고 있는 소년을 봐.)

3 I found the bag (**which**) I had lost.
(나는 잃어버렸던 가방을 찾았다.)

4 I remember the day **when** I first met you.
(나는 너를 처음 만났던 날을 기억한다.)

5 This is the town ❷[　　] I spent my childhood.
(이곳은 내가 어린 시절을 보낸 도시이다.)

답 ❶ who ❷ where

핵심정리 09 원급을 이용한 비교 표현

as + **❶** + as ~	~만큼 …한[하게]
as + 원급 + as possible (= as + 원급 + as + 주어 + can)	가능한 한 …한[하게]
not as[so] + 원급 + as ~ (= less + 원급 + than ~)	~만큼 …하지 않은[않게]
배수 표현 + as + 원급 + as ~ (= 배수 표현 + 비교급 + than)	~보다 몇 배 …한
not so much A as B (= rather B **❷** A)	A라기보다는 B

배수 표현은 half, twice, three times, four times 등을 말해요.

답 ❶ 원급 ❷ than

핵심정리 10 비교급을 이용한 표현

❶ + than	…보다 더 ~한[하게]
비교급 + and + 비교급	점점 더 ~한
the + 비교급 ~, the + 비교급 …	~하면 할수록 더 …하다
no more than (= only)	겨우 ~ 밖에
no **❷** than	~만큼이나, ~씩이나 많이
not more than (= at most)	기껏해야
not less than (= at least)	최소한
no longer (not ~ any longer)	더 이상 ~ 않는다
A is no more B than C is D	C가 D가 아닌 것처럼 A도 B가 아니다

형용사나 부사의 비교급을 강조할 때 비교급 앞에 much, a lot, far, even, still 등을 써요.

답 ❶ 비교급 ❷ less

핵심정리 11 여러 가지 최상급 표현

the + 최상급 + in + 장소/집단	~에서 가장 …한
the + 최상급 + of + **❶**	~ 중에서 가장 …한
one of the + 최상급 + 복수명사	가장 …한 ~ 중 하나
the + 최상급 + 명사(+ that) + 주어 + have / has ever + 과거분사	지금까지 ~한 것 중 가장 …한

• 최상급 앞에는 대개 **❷** 가 오고, 뒤에는 비교 범위를 나타내는 부사구(of ~ / in ~ 등)가 오는 경우가 많다.

다른 대상과 비교하지 않고 동일한 사람 또는 사물의 성질이나 상태를 서술하는 경우에는 최상급 앞에 the를 쓰지 않아요.

답 ❶ 복수명사 ❷ the

핵심정리 12 원급·비교급을 이용한 최상급 표현

비교급 + than any other + 단수명사	다른 어떤 ~보다 더 …한
비교급 + than all the other + **❶**	다른 모든 ~보다도 더 …한
No + 명사 ~ + 비교급 + than	어떤 -도 ~보다 더 …하지 않다
No + 명사 ~ + as[so] + 원급 + **❷**	어떤 -도 ~만큼 …하지 않다

• 원급 또는 비교급을 이용하여 최상급과 같은 의미를 나타낼 수 있다.

답 ❶ 복수명사 ❷ as

1 It is getting **darker and darker**.
(점점 더 어두워지고 있다.)

2 The [❶_____] you study English, **the sooner** you will be fluent.
(네가 더 열심히 영어를 공부할수록, 더 금방 영어가 유창해질 것이다.)

3 I have [❷_____] **more then** 1000 won.
(나는 겨우 천원 밖에 없다.)

4 His dog is **much bigger than** my cat.
(그의 개는 나의 고양이보다 훨씬 더 크다.)

답 ❶ harder ❷ no

1 My cat is **as big as** your dog.
(나의 고양이는 너의 개만큼 크다.)

2 She ran as [❶_____] as possible.
(그녀는 가능한 한 빨리 달렸다.)

3 He is **not as tall as** his father.
(그는 그의 아버지만큼 키가 크지 않다.)

4 This bag is [❷_____] **as expensive as** that one.
(이 가방은 저 가방보다 두 배 더 비싸다.)

답 ❶ fast ❷ twice

She is **the most famous** singer in Korea.
(그녀는 한국에서 가장 유명한 가수이다.)

= She is **more famous** [❶_____] **any other singer** in Korea.
(그녀는 한국에서 다른 어떤 가수보다 더 유명하다.)

= She is **more famous than all the other** [❷_____] in Korea.
(그녀는 한국에서 다른 모든 가수들보다 더 유명하다.)

= [❸_____] **singer** in Korea is **more famous than** she.
(한국의 어떤 가수도 그녀보다 더 유명하지 않다.)

= **No singer** in Korea is **as famous as** she.
(한국의 어떤 가수도 그녀만큼 유명하지 않다.)

답 ❶ than ❷ singers ❸ No

1 I think Yunho is the [❶_____] student **in** my class.
(나는 윤호가 우리 반에서 가장 똑똑한 학생이라고 생각한다.)

2 Judy is **the most diligent** [❷_____] her siblings.
(Judy는 형제자매들 중에서 가장 부지런하다.)

3 James is **one of the best players** in the soccer team.
(James는 축구팀에서 가장 훌륭한 선수들 중 한 명이다.)

4 This is **the most exciting** movie **that I have ever watched**.
(이것은 내가 지금까지 본 것 중 가장 흥미로운 영화이다.)

답 ❶ smartest ❷ of

자르는 선

핵심정리 13 가정법 과거와 과거완료 / 혼합 가정법

	가정법 과거	가정법 과거완료
의미	~한다면, …할 텐데 (현재 사실의 반대)	~했다면, …했을 텐데 (과거 사실의 반대)
형태	If + 주어 + 동사의 과거 형 ~, 주어 + 조동사의 과 거형 + 동사원형 …	If + 주어 + had + 과거분 사 ~, 주어 + 조동사의 과거형 + ❶ [ ] + 과거분사 …

	혼합가정법
의미	(과거에) ~했다면, (현대) …할 텐데
형태	If + 주어 + ❷ [ ] + 과거분사 ~, 주어 + 조동사의 과거형 + 동사원형 …

• 가정법 과거 문장에서 if절의 동사가 be동사일 경우에는 주어의 인칭과 수에 관계없이 were를 쓴다.

> 혼합가정법은 주절과 if절의
> 시제가 일치하지 않는 경우를 말하며,
> 과거 사실에 반대되는 가정의 결과가
> 현재 영향을 줄 때 사용해요.

답 ❶ have ❷ had

핵심정리 14 I wish 가정법

	I wish + 가정법 과거	I wish + 가정법 과거완료
의미	~라면 좋을 텐데 (현재 이루기 힘든 소망)	~했더라면 좋을 텐데 (과거의 일에 대한 아쉬움)
형태	I wish + 주어 + ❶ [ ] / 동사의 과거형	I wish + 주어 + ❷ [ ] + 과거분사
예문	I wish I had a boy friend. (→ I'm sorry that I don't have a boy friend.)	I wish I had traveled with you. (→ I'm sorry that I didn't travel with you.)

답 ❶ were ❷ had

핵심정리 15 as if 가정법

	as if + 가정법 과거	as if + 가정법 과거완료
의미	마치 ~인[하는] 것처럼 (주절과 같은 시점의 사실과 반대되는 상황을 가정)	마치 ~이었던[했던] 것처럼 (주절보다 앞선 시점의 사실 과 반대되는 상황을 가정)
형태	as if + 주어 + were / 동사 의 과거형	as if + 주어 + had + 과거분 사
예문	Mom treats me as if I ❶ [ ] a baby. (→ In fact, I am not a baby.)	He talked as if he ❷ [ ] visited Paris. (→ In fact, he didn't visit Paris.)

> as if 대신 as though를 쓸 수도 있어요.

답 ❶ were ❷ had

핵심정리 16 Without 가정법

	Without + 가정법 과거	Without + 가정법 과거완료
의미	~이 없다면, …할 것이다	~이 없었다면, …했을 것이다
형태	Without + 명사(구), 주어 + 조동사 과거형 + 동사원형 = If it were not for + 명사 (구), ~	Without + 명사(구), 주어 + 조동사 과거형 + have + 과거분사 = If it had not been for + 명사(구), ~
예문	Without your help, I could not finish my homework. = If it ❶ [ ] not for your help, I could not finish my homework.	Without her advice, he would have given up. = If it ❷ [ ] not been for her advice, he would have given up.

> Without 대신 But for를 쓸 수도 있어요.

답 ❶ were ❷ had

1 I don't have much money. **I wish** I [❶   ]
a lot of money.
(나는 돈이 많지 않다. 나에게 많은 돈이 있다면 좋을 텐데.)

2 **I wish** I **could** be a famous singer like her.
(나는 그녀처럼 유명한 가수가 될 수 있으면 좋을 텐데.)

3 **I wish** I [❷   ] **listened** to my mom's advice.
(나는 엄마의 충고를 들었더라면 좋을 텐데.)

답 ❶ had ❷ had

1 **If** he **had** more time, he **could finish** the work.
(그에게 시간이 더 있다면 그는 그 일을 끝낼 수 있을 텐데.)

2 **If** I [❶   ] you, I **wouldn't go** there.
(내가 너라면 나는 그곳에 가지 않을 텐데.)

3 **If** she **had gotten** up early, she **would** not **have been** late for school.
(그녀가 일찍 일어났다면 학교에 지각하지 않았을 텐데.)

4 **If** I [❷   ] **eaten** breakfast, I **would** not **be** hungry now.
(내가 아침을 먹었더라면 지금 배가 고프지 않을 텐데.)

답 ❶ were ❷ had

1 **Without** the map, I **could** not **find** the library.
(지도가 없다면 나는 도서관을 찾지 못할 것이다.)

2 **If** it were **not** [❶   ] smartphones, we **could** not **communicate** with friends easily.
(스마트폰이 없다면 우리는 친구들과 쉽게 연락을 주고받을 수 없을 것이다.)

3 [❷   ] **for** her, the basketball team **could** not **have won** the game.
(그녀가 없었다면 그 농구팀은 경기에서 이길 수 없었을 것이다.)

4 **If** it had not [❸   ] **for** the traffic jam, I **could have arrived** there on time.
(교통 체증이 없었다면 나는 그곳에 제시간에 도착할 수 있었을 것이다.)

답 ❶ for ❷ But ❸ been

1 The girl talks **as if** she **were** Canadian.
(그 소녀는 자신이 캐나다인인 것처럼 말한다.)

2 Alice spends money **as if** she [❶   ] rich.
(Alice는 자신이 부자인 것처럼 돈을 쓴다.)

3 He talks **as if he had seen** the accident.
(그는 그 사고를 봤었던 것처럼 말한다.)

4 He looks **as if** he [❷   ] not **slept** well.
(그는 잠을 잘 못 잤던 것처럼 보인다.)

답 ❶ were ❷ had

자르는 선

고등 영어, 무조건 어휘력이다!

VOCA 다:품

[고교 필수 영단어] [수능 기본 영단어]

어휘 STARTER

핵심만 빠르게 익히는 〈고교 필수 영단어〉
기출 문장으로 외우는 〈수능 기본 영단어〉
다·품으로 영단어 공부 START!

암기 효율 100%

혼동어, 유의어, 반의어, 파생어
헷갈리는 단어는 쌍으로 암기!
어휘 Tip으로 어휘력과 상식 UPGRADE!

미니 단어장 제공

QR로 보는 '발음+짤강'과 '출제 프로그램'
'미니 단어장'으로 자투리 시간도 알차게,
풍부한 부가자료로 영어 완·전·정·복!

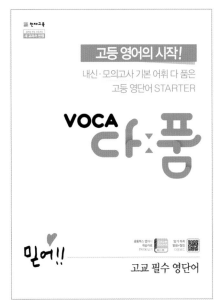

내신+수능+모의고사 어휘 다~ 품은 다:품! 고교 필수 영단어: 예비고~고1 / 수능 기본 영단어: 고1~2

book.chunjae.co.kr

교재 내용 문의	....	교재 홈페이지 ▶ 고등 ▶ 교재상담
교재 내용 외 문의	....	교재 홈페이지 ▶ 고객센터 ▶ 1:1문의
발간 후 발견되는 오류	....	교재 홈페이지 ▶ 고등 ▶ 학습지원 ▶ 학습자료실